Profesionales de los negocios

curso de español

María José Jimeno | Elena Palacios

Coordinadora
Aurora Centellas

Para estudiantes con un nivel B1+ o superior del MCER

Dirección editorial: enClave-ELE
Autoras: Mª José Jimeno y Elena Palacios
Edición: Aurora Centellas Rodrigo
Diseño y puesta en página: Diseño y Control Gráfico
Cubierta: Diseño y Control Gráfico

Fotografías: © pág. 9: Tupungato/Shutterstock.com; neme_jimenez/Shutterstock.com; Tupungato/Shutterstock.com; http://360es.com/es/la-emt-abre-un-proceso-de-seleccion-para-futuros-conductores; Rob Wilson/Shutterstock.com; Tupungato/Shutterstock.com; Tang Yan Song/Shutterstock.com; pág. 16: https://botw-pd.s3.amazonaws.com/styles/logo thumbnail/s3/112010/logobimbalola.jpeg?itok=xLKNqfbV; http://www.dia.es; http://www.panrico.com/esp/marcas/panrico_14.html#; https://jofer.pro/wp-content/uploads/2019/06/jofer-logo-empresas-eroski.png; http://www.elcotodecaza.com/sites/default/files/directorio-empresas/images/logos/11/chiruca-cuadrado.gif; pág. 27: https://static1.abc.es/media/MM/2016/01/13/bescansa-tres_xoptimizadax.jpg; pág. 29: ESB Professional/Shutterstock.com; https://th.bing.com/th/id/OIP.PfJaT73Qi_ZdwxM2T6LtwAHaE8?pid=ImgDet&rs=1; Botond Horvath/Shutterstock.com; https://www.bancomundial.org/content/dam/Worldbank/contacts.jpg; https://blog.caixabank.es/blogcaixabank/wp-content/uploads/sites/4/2015/10/Sede-central-de-Fondo-Monetario-Internacional-Washington.jpg; https://www.wto.org/images/wtobuild_long_500pixels.jpg; pág. 37: https://images.app.goo.gl/VY1sPc81mch2udYc6; http://blogs.publico.es/strambotic/files/2014/06/choque-narices.jpg; pág. 39: https://www.planetahuevo.es/wp-content/uploads/2010/08/contrato-5-minutos-forges.gif; https://www.planetahuevo.es/wp-content/uploads/2010/08/chiste-Forges-contratos-temporales.png; https://www.planetahuevo.es/wp-content/uploads/2010/08/si-tiene-un-empleo-para-mi_1.jpg; pág. 49: rvlsoft/Shutterstock.com; tanuha2001/Shutterstock.com; 360b/Shutterstock.com; tulpahn/Shutterstock.com; tanuha2001/Shutterstock.com; tanuha2001/Shutterstock.com; Bk foto/Shutterstock.com; Bernardo Ramonfaur/Shutterstock.com; Sorbis / Shutterstock.com; pág. 50: http://eldiariodefinanzas.com/wp-content/uploads/2019/07/maxresdefault-2-1024x576.jpg; pág. 56: Rose Carson/Shutterstock.com; pág. 59: alegre/Shutterstock.com; Donna Beeler/Shutterstock.com; http://www.universal.org.ar/wp-content/uploads/2012/10/escambo-comercio3.jpg; Tung Cheung/Shutterstock.com; Tooykrub/Shutterstock.com; Alastair Wallace/shutterstock.com; pág. 61: http://slideplayer.es/slide/6149158/18/images/6/PRODUCTOS+M%C3%81S+REPRESENTATIVOS.jpg; https://elpais.com/economia/imagenes/2016/05/19/actualidad/1463663148_067007_1463665113_sumario_grande.jpg; pág. 66: Pedro rufo/Shutterstock.com com; http://www.exteriores.gob.es/Embajadas/HELSINKI/es/Noticias/PublishingImages/LOGO%20MARCA%20ESPA%C3%91A.png; pág. 67: Vlad Teodor/Shutterstock.com; pág. 69: https://www.dikaestudio.com/wp-content/uploads/2020/04/mujeres-de-valor-01.png; http://destapatufelicidad.files.wordpress.com/2014/06/ecommerce3.jpg; https://alacazadelaestrategiaempresarial.es/wp-content/uploads/2020/06/pop-ya-no-hay-stop.jpg; https://juanat.files.wordpress.com/2011/03/piensa-en-verde-2.jpg; https://twitter.com/marce_vegas/status/1203387041716822016/photo/1; https://pbs.twimg.com/profile_images/570615995622912000/PzEDbB9m.png; https://www.grupoarteaga.com/wp-content/uploads/2020/09/para-todo-lo-dema%CC%81s-existe-mastercard.png; pág. 70: https://s-media-cache-ak0.pinimg.com/originals/85/89/e1/8589e10afb7a96aeb2522ed46e5303e1.jpg; pág. 71: PlusONE /Shutterstock.com; pág. 73: http://www.activamepanama.com/wp-content/gallery/degustaciones-maggi/DSC06197.JPG; https://skpreggae.files.wordpress.com/2014/02/degustaciones-mundial-1.jpg; http://1.bp.blogspot.com/-po9QWlhQkh0/Ut_EwwXXpfI/AAAAAAAADEc/kAGXzuKg-YU/s1600/Burts+bees.JPG; pág. 74: https://s3.ruizsalazar.cl:9000/ruizsalazar-web/media/blog/2016/04/Nombre_Marca.png; http://www.soyvendedor.com/wp-content/uploads/2013/05/GENERAL-613x1024.jpg; pág. 75: http://economiteca.com/wp-content/uploads/2013/06/New-Balance-campa%C3%B1a-publicitaria-moderna.jpg; http://www.adlatina.com/sites/default/files/legacy/grafica/ogilvy-viapublica2.jpg; http://st-listas.20minutos.es/images/2013-04/359414/3987717_640px.jpg?1366323368; https://scpodium.com/wp-content/uploads/2020/10/eslogan-redbull.jpg; https://www.chocolatesnestle.es/helpers/imagen.ashx?hash=4Mz4E9um99hvobW_kMe1c86YDYXTxPfamutOgSUI_MZWGQ_pyxhIqozN1HskLTOeO; http://www.pisitoenmadrid.com/images/anuncios/nobel06.jpg; pág. 76: http://www.lavozlibre.com/userfiles/2a_decada/image/FOTOS%202012/09%20SEPTIEMBRE%20202012/04%20SEPTIEMBRE%20202012/McDonalds-jpg%20545%20p.jpg; https://elarquitectodeilusiones.files.wordpress.com/2014/06/73612_101513984465520 95_1700428050_n.jpg?w=405&h=269&crop=1; http://cloud10.todocoleccion.online/catalogos-publicitarios/tc/2010/06/15/19940730.jpg; http://1.bp.blogspot.com/-OctGE17lPFo/UrGad8j-n8I/AAAAAAAAAxs/-CITFAmEsWA/s1600/campofrio1.png; pág. 77: Everett Collection/Shutterstock.com; Neale Cousland/Shutterstock.com; https://i.ytimg.com/vi/MEDISK9YMJI/maxresdefault.jpg; Matteo Chinellato/Shutterstock.com; Ververidis Vasilis /Shutterstock.com; Denis Makarenko/Shutterstock.com; Rainer Herhaus/Shutterstock.com; s_bukley/Shutterstock.com; Marcos Mesa Sam Wordley /Shutterstock.com; Featureflash Photo Agency/Shutterstock.com; Leonard Zhukovsky/Shutterstock.com; http://actualidadgastronomica.es/wp-content/uploads/2014/03/Aaron-Clamage_024.jpg; pág. 79: testing / Shutterstock.com; https://www.65ymas.com/uploads/s1/17/38/51/requisitos-para-pedir-una-hipoteca-oficina-del-banco-santander-en-barcelona_1_621x621.jpeg; Muhammad Hanif MM/Shutterstock.com; sylv1rob1/Shutterstock.com; Ali Jabber/Shutterstock.com; Noah Sauve/Shutterstock.com; Michael Derrer Fuchs / Shutterstock.com; pág. 81: https://www.ucm.es/data/cont/docs/3-2013-05-13-TRANSFERENCIA%20AL%20EXTRANJERO%202012.pdf; pág. 83: Sean Pavone/Shutterstock.com; Ana Bornay/Shutterstock.com; pág. 86: https://dynamic-media-cdn.tripadvisor.com/media/photo-o/03/d5/ca/1f/museum-of-money.jpg?w=1200&h=1200&s=1; pág. 87: http://bolsadigital.org/images/Bolsa-de-Madrid.jpg; http://www.noticiasinmobiliaria.com/wp-content/uploads/2015/12/firmas-inditex-cb.jpg; Allmy/Shutterstock.com; vasanty/Shutterstock.com; sylv1rob1/Shutterstock.com; Huevo Eléctrico/Shutterstock.com; Vytautas Kielaitis/Shutterstock.com; travellifestyle/Shutterstock.com; Maly Designer/Shutterstock.com; pág. 90: JuliusKielaitis/Shutterstock.com; Tupungato/Shutterstock.com; Olaf Speier/Shutterstock.com; pág. 95: https://encrypted-tbn0.gstatic.com/images?q=tbn:ANd9GcR5dZylxCHVzkDNob4adO9m2-Nd65-JBKOodw&usqp=CAU; pág. 101: http://3.bp.blogspot.com/_esUBIqKjDzk/S-0oxkaxbDI/AAAAAAAAAO6M/FhU3BIJSFvk/s1600/palmadita+espalda.jpg; pág. 106: urbanbuzz/Shutterstock.com; pág. 110: Eugenio Marongiu/Shutterstock.com; pág. 113 jejim/Shutterstock.com.

Si detecta que alguna fuente de los imágenes o textos citados en este manual es incorrecta o está incompleta, por favor, diríjase a enClave-ELE a través de esta dirección: info@enclave-ele.com. Los materiales de terceras personas se han utilizado siempre con una intención educativa y en la medida estrictamente indispensable para cumplir con esa finalidad de manera que no se perjudique la explotación normal de las obras.

Estudio de grabación: vocesdecine.com

© enClave-ELE, 2018
© edición revisada, 2022

ISBN: 978-84-16108-79-4
Depósito legal: M-3055-2018
Impreso en España
Printed in Spain

ÍNDICE

Los contenidos de las unidades no son secuenciales, ya que el alumnado debe dominar los contenidos gramaticales y funcionales del B1 para poder usar este libro. Por lo tanto, las unidades pueden realizarse en este orden o en otro que el profesor considere más apropiado.

 Active su código digital de la plataforma Blinklearning y encontrará actividades adicionales para consolidar los contenidos de cada unidad, así como las soluciones de este libro.

Índice de contenidos

UNIDAD	CONTENIDOS TEMÁTICOS	CONTENIDOS FUNCIONALES	CONTENIDOS GRAMATICALES	CONTENIDOS CULTURALES
UNIDAD 5: COMUNICACIÓN EMPRESARIAL				
• La imagen corporativa. • La comunicación escrita en la empresa. • Cartas, avisos y solicitudes. • Coger recados. • Comunicación oral en la empresa. • Gestualidad. • Redes sociales.	• La importancia de la comunicación en el mundo de los negocios. • La comunicación a través de colores, sensaciones e imágenes. • Las técnicas de comunicación verbal y comunicación no verbal. • El PNL.	• La comunicación en las imágenes corporativas. • Reclamar un pedido. • Redactar solicitudes e impresos. • Escribir recados en estilo indirecto. • Identificar actitudes. • Hablar en público.	• Imperfecto vs indefinido. • Estilo indirecto. • Verbos de sentimiento y emoción. • Imperativo.	• Las redes sociales.
UNIDAD 6: EL COMERCIO				
• Formas de comercio. • La globalización. • Medios de pago. • Exportación e importación. • Tipos de clientes. • Atención al cliente. • Mercados y mercadillos.	• El mundo del comercio y todas sus posibilidades. • Los medios de pago y su aplicación en el comercio. • Situaciones relacionadas con la compraventa.	• Ordenar cronológicamente. • Definir conceptos. • Expresar opinión sobre los servicios a domicilio. • Simular una queja. • Reclamar un servicio. • Explicar la ley de la oferta y la demanda. • Realizar una encuesta.	• Pretérito pluscuamperfecto. • Contraste de pasados. • Verbos de opinión.	• El Rastro.
UNIDAD 7: *MARKETING* Y PUBLICIDAD				
• Mercadotecnia. • *Marketing mix*. • Estrategias de *marketing*. • Estudios de mercado. • Estrategias de venta. • Análisis de publicidad. • Iconos publicitarios.	• Técnicas y recursos que se emplean en el *marketing*. • Funcionamiento de los estudios de mercado. • Herramientas empleadas en la publicidad. • Los recursos publicitarios.	• Narrar una situación. • Asociar palabras y definiciones. • Explicar los criterios para establecer los precios. • Buscar sinónimos. • Describir personas y situaciones relacionadas con el *marketing*. • Debatir sobre la influencia de la publicidad. • Elaborar un test. • Analizar imágenes publicitarias.	• Comparaciones. • Oraciones condicionales.	• El *marketing* viral. • Marca España.
UNIDAD 8: LA BANCA Y LA BOLSA				
• Entidades bancarias. • Operaciones en el banco. • Productos financieros. • Invertir en bolsa. • Índices bursátiles.	• La banca y las inversiones. • Identificar conceptos. • Describir la situación de los movimientos bursátiles. • Expresiones utilizadas en el lenguaje periodístico de la bolsa.	• Identificar el vocabulario en un texto. • Cumplimentar una transferencia. • Analizar cifras y elaborar conclusiones. • Simular una inversión. • Describir los movimientos de La bolsa con las expresiones adecuadas.	• Estructuras valorativas con *ser* (ser + adjetivo + que + subjuntivo / infinitivo). • Expresar finalidad. • Peticiones formales.	• La Real Fábrica de Moneda y Timbre.

Iniciando
Aproximación a la unidad y activación de los primeros conceptos a partir de unas fotografías y unas preguntas.

Actividades iniciales que presentan el tema y vocabulario mediante diversos ejercicios, audios, textos, etc.

Agenda
Contenidos de la unidad.

¿Sabías que...?
Sección que proporciona datos que actúan como punto de partida para una reflexión o búsqueda de información más exhaustiva.

Actividades de aprendizaje de comprensión y expresión oral y escrita sobre el tema de la unidad.

Borrador adjunto
Sección que desarrolla la capacidad escrita del alumno con la redacción de textos relacionados con el tema de la unidad.

Construye tu gramática
Herramientas necesarias para reflexionar sobre la gramática a partir de las actividades.

Toma nota
Explicación de algún contenido de la unidad y actividad de reflexión y consulta.

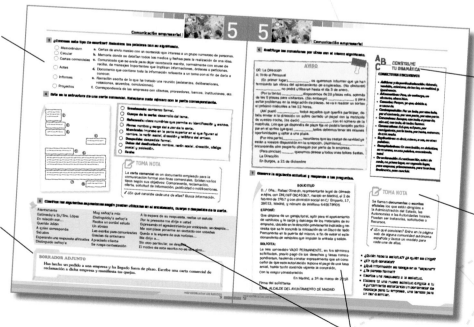

Actividades de diversa índole que desarrollan nuevos contenidos del tema de la unidad.

Curiosidades

Informaciones curiosas, relacionadas con el tema, que dan pie a alguna actividad o tarea.

Actividades de aprendizaje a
partir de textos y audiciones que profundizan en el tema de la unidad.

España manual de uso

Mediante imágenes y textos, esta sección trata aspectos de la vida social y cultural relacionada con el entorno de los negocios.

A debate

Propicia el debate sobre algunos puntos controvertidos de la unidad para que los estudiantes expresen su opinión y emitan sus juicios de valor.

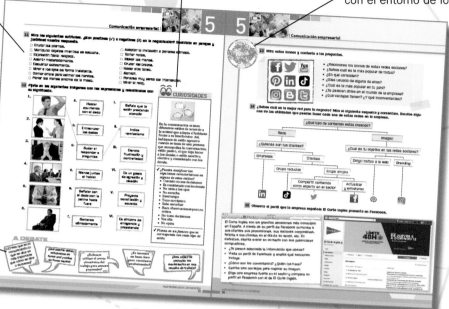

Chequeando

Cuestiones que permiten evaluar el aprendizaje léxico de la unidad.

Dossier gramatical

Recoge los puntos gramaticales importantes de la lección y ofrece ejemplos de sus usos.

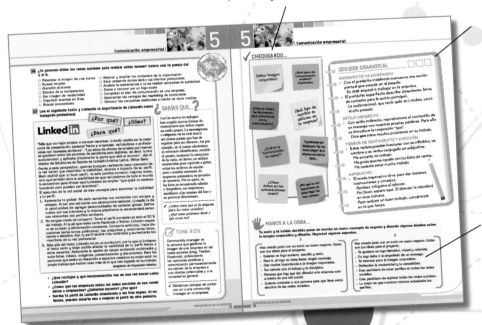

Manos a la obra

Actividad de consolidación que activa y pone en práctica lo aprendido en la misma.

Active su código digital de la plataforma Blinklearning y encontrará actividades adicionales para consolidar los contenidos de cada unidad, así como las soluciones de este libro.

1 La empresa

INICIANDO...

AGENDA

✓ La empresa

✓ Clasificación de empresas

✓ Sociedades y cooperativas

✓ Empresas tecnológicas

✓ Impuestos y fiscalidad

¿ SABÍAS QUE... ?

En España, existen más de 3 800 grandes empresas, que representan el 0,1 del tejido industrial. Las pequeñas y medianas empresas (pymes) conforman el 99,9 % restante, y su cifra asciende a 3 110 500. De estas, casi la mitad son microempresas.

✓ *Consulta los datos del DIRCE (Directorio Central de Empresas) y comprueba a qué sectores pertenecen.*

¿Conoces estas empresas? ¿A qué sectores pertenecen?
Según su tamaño, ¿cómo las clasificarías?
¿Sabes cuánto pueden facturar al año?
¿Son privadas o públicas?

El Diccionario de la Real Academia de la Lengua (RAE) define así el término Empresa:

Del italiano: *impresa.* Unidad de organización dedicada a actividades industriales, mercantiles o de prestación de servicios con fines lucrativos.

- ¿Te parece clara la definición? ¿Puedes añadir algo más? Escribe otros rasgos que caractericen a las empresas.

🎧 **1** **Escucha el fragmento de una conferencia en la que se habla de las empresas y su clasificación. Toma**
Pista 1 **nota de los criterios que se siguen y relacionalo con cada explicación.**

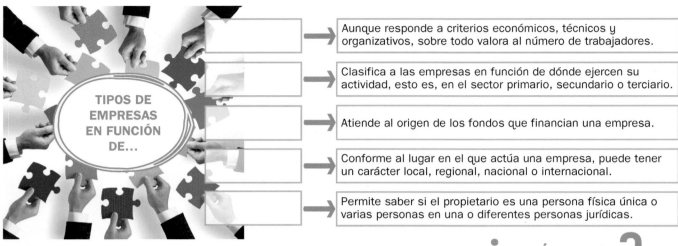

TIPOS DE EMPRESAS EN FUNCIÓN DE...

→ Aunque responde a criterios económicos, técnicos y organizativos, sobre todo valora al número de trabajadores.

→ Clasifica a las empresas en función de dónde ejercen su actividad, esto es, en el sector primario, secundario o terciario.

→ Atiende al origen de los fondos que financian una empresa.

→ Conforme al lugar en el que actúa una empresa, puede tener un carácter local, regional, nacional o internacional.

→ Permite saber si el propietario es una persona física única o varias personas en una o diferentes personas jurídicas.

🎧 **2** **Vuelve a escuchar el audio y señala si estas afirmaciones son**
Pista 1 **verdaderas (V) o falsas (F).**

	V	F
a. Una empresa realiza actividades económicas.	○	○
b. La clasificación de empresas atiende a unos criterios fijos.	○	○
c. Según su tamaño, las empresas pueden ser solo grandes o pequeñas.	○	○
d. Las empresas del sector secundario explotan los recursos naturales.	○	○
e. Según su capital, las empresas solo pueden ser privadas o públicas.	○	○
f. Las empresas locales tienen un ámbito de actuación reducido.	○	○
g. Las sociedades suponen la asociación de varios empresarios.	○	○
h. Una persona física es lo mismo que una persona jurídica.	○	○

¿ SABÍAS QUE... ?

Una **microempresa** es una empresa formada por un máximo de nueve trabajadores y con un volumen de facturación anual no superior a dos millones de euros.

✓ *¿Cuántos trabajadores pueden llegar a tener las pequeñas y medianas empresas?*

✓ *¿Cuánto facturan? Busca la información y coméntalo con tus compañeros.*

3 **Observa la gráfica sobre la evolución de los sectores en España y comenta con tu pareja.**

A B C CONSTRUYE TU GRAMÁTICA

PRETÉRITO IMPERFECTO

Lee las siguientes frases y comenta con tus compañeros el uso del pretérito imperfecto en cada frase.

✓ *Antes, la vida **era** más sencilla que ahora.*

✓ *En 1900 la economía **era** diferente.*

✓ *Cuando empezó la monarquía en 1977, el sector primario **tenía** menos importancia.*

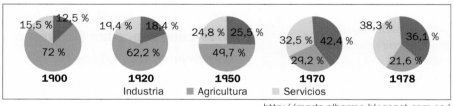

1900	1920	1950	1970	1978
15,5 % 12,5 % 72 %	19,4 % 18,4 % 62,2 %	24,8 % 25,5 % 49,7 %	32,5 % 42,4 % 29,2 %	38,3 % 36,1 % 21,6 %

Industria ■ Agricultura ▪ Servicios

http://marta-albarran.blogspot.com.es/

• ¿Qué sectores eran los más fuertes en el siglo pasado?
• ¿Cómo era la economía entonces? ¿Qué tipo de negocios crees que había?
• Busca información sobre cómo funcionaba el sector primario en 1900 en España.
• ¿Por qué crees que ha cambiado tanto la importancia de los sectores?
• Investiga sobre los datos actuales de los sectores en España.
• ¿Cómo eran los datos en tu país en esos años? Haz las gráficas.

4 Relaciona las definiciones con los términos que permiten clasificar las empresas según su forma jurídica.

a. La responsabilidad está limitada a la aportación del capital. ⟶ Sociedad limitada

b. Los socios participan mediante acciones y no responden a cualquier posible deuda con su capital personal.

Sociedad laboral

c. En su mayor parte, es propiedad de los trabajadores.

Sociedad cooperativa

d. Está formada por socios colectivos y por otros socios que no participan en la gestión y que limitan su responsabilidad al capital invertido.

Sociedad colectiva

e. Sociedad externa en la que los socios responden de forma ilimitada ante las deudas.

Sociedad comanditaria

f. Asociación que se organiza de forma democrática por sus socios y que tiene un interés social y no mercantil.

Sociedad anónima

5 Lee el siguiente texto y realiza las tareas que se proponen a continuación.

Protagonistas

"El cooperativismo tiene su historia"

Vicente Ruiz, abogado experto en cooperativas, nos explica el funcionamiento de estas asociaciones.

Entrevistador: Para empezar, ¿qué es una cooperativa?

V. Ruiz: Podemos definirla como una asociación autónoma de personas que se unen voluntariamente para formar una empresa de propiedad conjunta y democráticamente controlada.

E: ¿Y cuál es su finalidad?

V: Deben hacer frente a las necesidades y aspiraciones económicas, sociales y culturales comunes a todos los socios.

E: Pero, ¿quién lleva su gestión?

V: Su administración debe llevarse tal y como acuerden los socios, generalmente en el marco de la economía de mercado o de la economía mixta, aunque también como complemento de la economía planificada.

E: ¿Cuántos miembros tiene una cooperativa?

V: No hay un número fijo, pero para comenzar a funcionar tiene que haber

por lo menos dos socios cooperativistas, que pueden ser personas físicas o jurídicas, aunque se puede recurrir a otros socios colaboradores.

E: Mucho se habla ahora del cooperativismo, pero ¿cuándo surge?

V: Estas asociaciones empezaron a crearse en los tiempos de la Revolución industrial y siguieron tomando importancia en el siglo XX con el fin de evitar intermediarios. El cooperativismo tiene su historia. En 1895 se fundó la Alianza Cooperativa Internacional (ACI) para promover este movimiento.

E: ¿Todas las cooperativas son iguales?

V: Existen unos principios cooperativos comunes que constituyen las reglas de funcionamiento. Sin embargo, hay cooperativas de muchas clases. Las más frecuentes, atendiendo al interés de sus miembros, son las de traba-

jo asociado, en las que sus socios son los propios trabajadores. Pero también las hay de consumo o de servicios.

E: ¿Y qué diferencias hay entre la cooperativa y otro tipo de sociedades?

V: ¿Se refiere a las sociedades limitadas, sociedades anónimas, sociedades comanditarias, etc.? Pues estas son sociedades mercantiles mientras que la cooperativa es una sociedad de interés social.

E: ¿Y qué significa eso?

V: Que deja de tener ánimo de lucro. Los beneficios o excedentes suelen reinvertirse en la propia empresa, que destina una parte a un fondo de reserva y otro a la educación y formación de los socios. Por eso puede llegar a ser una opción muy interesante para sus miembros.

- ¿Qué ventajas tienen las cooperativas frente a otras formas de asociación?
- ¿Conoces alguna cooperativa? ¿Cuáles son las más destacadas en tu país?
- Investiga sobre las sociedades mercantiles y señala sus características.
- Con tu compañero/a, haz una propuesta de negocio que pueda gestionarse como una cooperativa.
- Si quieres saber más sobre el ACI, consulta su página http://ica.coop/es/

ABC CONSTRUYE TU GRAMÁTICA

Busca en el texto las perífrasis verbales y clasifícalas según se utilicen con infinitivo, gerundio o participio. ¿Qué significado tienen?

6 **Clasifica los siguientes ítems según se correspondan con la empresa tradicional (T) o con la empresa cooperativa (C).**

☐ Busca obtener beneficios monetarios.

☐ Los beneficios son para los accionistas.

☐ Está dirigida por los socios en asambleas.

☐ Busca solucionar sus necesidades.

☐ Los beneficios se reinvierten en la empresa.

☐ El órgano de gobierno son los accionistas.

☐ Los excedentes benefician a los socios.

☐ El número de socios es limitado.

☐ Los socios o trabajadores tienen voto.

☐ Las ganancias son para el empresario.

☐ Los trabajadores no tienen voz.

☐ Los socios son ilimitados.

✐ TOMA NOTA

Las **Fundaciones** y las **ONG** son entidades sin ánimo de lucro que luchan por causas humanitarias y sociales. Mientras que las ONG tienen más relevancia a nivel global y están apoyadas por organismos nacionales e internacionales las fundaciones son organizaciones no gubernamentales financiadas por la persona fundadora.

✓ *Busca el nombre de tres fundaciones relevantes y comenta con tus compañeros a qué se dedican.*

---

7 **Lee el siguiente texto y realiza las actividades.**

En Portada

«De las startups al cielo»

La bombilla se enciende. Surge una nueva idea. ¿Por qué no *lanzarse a la aventura?* Emprender es de valientes. A pesar de ser un término inglés, las startups son *el nuevo concepto empresarial de moda.* Pero, ¿qué son realmente? Aunque su fin es también el de hacerse con un amplio mercado y unos beneficios más que notables, parten de una idea innovadora que tratan de convertir en rentable. Poseen un alto potencial pero su éxito suele ser relativo y limitado en el tiempo. Cuando cesa la novedad, *el negocio se va a pique.* Sin embargo, son atractivas para los conocidos como "ángeles inversores", quienes colocan capital personal en diferentes startups con el fin de que alguna de ellas logre *ser un boom.*

Para este tipo de negocios emergentes es fundamental *forjarse una buena imagen* y tener un buen trato con el cliente, pues no cuentan con un pasado que las avale ni poseen recursos para lanzar grandes campañas de *marketing.* Internet se convierte así en una herramienta imprescindible para *abrir mercado* y comercializar.

Según las estadísticas, aunque nueve de cada diez de estas empresas *se estrellan,* sus ambiciones no tienen límites. Cambiar el mundo con la tecnología, en ámbitos como la educación, la energía o el turismo es su meta. Esto es lo último en startups.

TERRACITAS AL SOL

Buscando una terraza para sentarse una tarde de domingo ideó esta aplicación que localiza geográficamente las terrazas al sol de cualquier ciudad.

JUICIOS EXITOSOS

Su creador, tras sentirse maltratado por una aerolínea, creó una startup que analiza si una demanda ganará un juicio. El usuario solo paga si acierta. La probabilidad de error es de un 20 por ciento.

- ¿Qué significan las expresiones en cursiva del texto? Explícalas con tus palabras.
- Lee de nuevo el texto y haz una lista con las características del las startups. ¿Puedes añadir alguna nueva?
- ¿Te parecen buenas ideas para una startup? Valora sus posibilidades de éxito.

BORRADOR ADJUNTO

¿Conoces alguna startup exitosa? Busca información sobre ella y redacta un texto explicando la idea, sus características, su mercado, sus ventajas e inconvenientes, etc.

8 **¿Cuáles son las claves para que un empresario tenga éxito? Decide con tu pareja los cinco factores que te parecen más importantes de la lista.**

☐ Preocuparse solo por ganar dinero.
☐ Contar con muchos inversores.
☐ Dedicarse a ella de forma exhaustiva.
☐ Producir beneficios rápidos.
☐ Invertir poco dinero inicialmente en ella.
☐ Tener una buena campaña de *marketing*.
☐ Tratar de conseguir un éxito rápido.

☐ Renunciar a los beneficios iniciales.
☐ Partir de una idea original.
☐ Hacer un estudio de mercado.
☐ Dividir las tareas.
☐ Conocer a los clientes.
☐ Influir en los consumidores.
☐ Confiar en el proyecto.

9 **¿Qué es una empresa tecnológica? ¿En qué consiste la actividad I+D? Habla con tus compañeros.**

10 **Observa los datos de la siguiente gráfica y coméntalos en clase.**

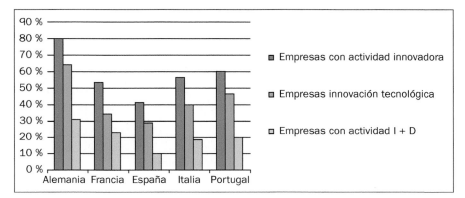

Leyenda:
■ Empresas con actividad innovadora
■ Empresas innovación tecnológica
□ Empresas con actividad I + D

Países: Alemania, Francia, España, Italia, Portugal

- ¿Te sorprenden los datos de estos países? ¿Por qué son tan diferentes?
- ¿Qué diferencias hay entre España y Alemania?
- Busca los datos sobre tu país y haz la gráfica correspondiente.

11 **Con tu compañero/a, haz una propuesta de empresa. Este esquema puede ayudarte. Después, elabora una ficha descriptiva sobre ella.**

¿Tienes una idea? — No / Sí
¿Cubre necesidades? — No / Sí
¿Tiene mercado? — No / Sí
¿Es viable? — No / Sí
¿Es rentable? — No / Sí

TOMA NOTA

En Centro de Información y Red de Creación de Empresas (CIRCE) ofrece en su web, en el área de emprendedores, una herramienta llamada SIMULA que recrea la creación de una empresa y te asesora sobre sus posibilidades.

✓ Entra en su página y visita esta aplicación portal.circe.es.

A B C **CONSTRUYE TU GRAMÁTICA**

VERBOS CON PREPOSICIÓN
Busca en la actividad 8 los verbos que se construyen con preposiciones.

✓ Las empresas **tratan de** alcanzar *beneficios.*
✓ Este departamento **se dedica a** las ventas.
✓ **Han invertido** mucho dinero **en** ese proyecto.

¿SABÍAS QUE...?

Las veinte empresas tecnológicas más importantes según la lista propuesta por la revista *Forbes México* acumulan en valor de mercado más de tres billones de dólares.

✓ ¿Cuales son actualmente estas veinte empresas? ¿Hay alguna en tu país entre esas veinte?

CURIOSIDADES

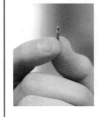

Una empresa tecnológica sueca está realizando una investigación con sus propios trabajadores. La prueba consiste en implantar unos microchips bajo la piel de sus empleados que permiten abrir las puertas del edificio o tener acceso a la fotocopiadora. Según esta empresa, la razón para utilizar estos experimentos responde a la necesidad de preparar a las personas para cuando los gobiernos obliguen a utilizar estas tecnologías.

http://www.eleconomista.es/tecnologia/noticias/6436025/01/15
Una-empresa-sueca-comienza-a-implantar-chips-de-identificacion-a-sus-empleados.html

---

✓ ¿Qué te parece la iniciativa?
✓ ¿Crees que la tecnología va a dominar el mundo?

12 **Pilar Álvarez acude a una asesoría para que le orienten sobre cómo enfocar su labor como empresaria y ver las posibilidades que le ofrece la administración. Escribe una definición para las palabras subrayadas.**

Pilar: Buenas tardes, quiero empezar a desarrollar mi carrera profesional (1) y no estoy segura de cómo hacerlo.

Rubén: Buenas tardes, soy Rubén García, su asesor (2) personal. Bien, voy a explicarle las opciones que más le convienen. La forma más sencilla de comenzar a emprender es a través de la figura del autónomo, ya que el número de trámites (3) a realizar es menor.

P: ¿Cuáles son?

R: Lo primero es darse de alta en la Seguridad Social y en la Agencia Tributaria.

P: ¿Y si prefiero crear una sociedad? ¿Tengo que hacer lo mismo?

R: Para constituir una sociedad los trámites que exige la administración son más complejos. Entre otras cosas, es necesario conseguir (4) la denominación social. También abrir una cuenta bancaria y hacer un gasto mínimo de 3 000 euros en el capital social. La documentación justificativa de estas gestiones hay que presentarla ante un notario para elevar a público tanto la escritura de consti-

tución de la empresa como los estatutos. Ya para acabar es preciso registrarla (5) en el Registro Mercantil.

P: Y, ¿eso es todo?

R: Una vez creada debe darse de alta en la Agencia Tributaria y a su administrador en la Seguridad Social en régimen de autónomo.

P: Y en materia fiscal, ¿hay diferencias?

R: Los autónomos tributan en el IRPF por los rendimientos (6) conseguidos, mientras que en el caso de las sociedades estos rendimientos tributan en el Impuesto sobre Sociedades.

P: Y, ¿en cuestión de responsabilidad?

R: Este es otro aspecto a valorar para decidir entre una opción u otra. El autónomo (7) tiene que responder a su deuda (8) con los bienes presentes y futuros. Por su parte, en el caso de las sociedades, la responsabilidad es más limitada porque la sociedad lo hace con su propio patrimonio, y no con el patrimonio personal de los socios.

13 **Relaciona las palabras marcadas en el texto con los siguientes términos sinónimos.**

| déficit ☒ | inscribir ☐ | trayectoria laboral ☐ |
| gestiones ☐ | beneficios ☐ | obtener ☐ |

| empresario individual ☐ | consejero ☐ |

a. Haz un resumen de los pasos a seguir para constituir una sociedad legalmente.

b. ¿Qué es la Seguridad Social? ¿Y la Agencia Tributaria?

c. ¿En qué consiste exactamente el IRPF y el Impuesto de Sociedades?

d. Entra en la página web de la Seguridad Social (http://www.seg-social.es/), en el apartado de trabajadores. Recopila la información sobre cómo darse de alta en la Seguridad Social, la tasa que se debe pagar y el tipo de prestaciones que se pueden recibir según la prestación laboral. Descarga también uno de los impresos e intenta rellenarlo.

A DEBATE

¿Qué opciones consideras más interesantes para un empresario?

¿Qué ventajas tienen los autónomos?

¿Son iguales estos trámites en todos los países?

¿Piensas que se deberían facilitar los trámites a los empresarios?

¿Qué actividades son más adecuadas para un autónomo? ¿Y para una sociedad?

🎧
Pista 2

14 **Escucha los tipos de IVA existentes en España y escribe en cada objeto el porcentaje del impuesto correspondiente.**

Pista 2

1

Ejemplo:
los zapatos. 21 %

2

3

4

5

6

7

8

9

10

11

12

13

15 **Aquí tienes los elementos que deben aparecer en una factura. Señálalos en el documento de la izquierda.**

**EMPRESA DE COMERCIO
XXI DE MADRID**
C/ Del Río 10
28000 Madrid
CIF: B00567567 X

FACTURA N.º	2/18
FECHA DE FACTURA:	9 octubre 2016

NOMBRE:	DRG Distribuciones	**CIF:**	03827461 F
DOMICILIO:	C/ Mayor, 562		

CONCEPTO	**CANTIDAD**	**PRECIO**	**IMPORTE**
Profesionales de los negocios - DVD	30	10 €	300 €
IMPORTE BRUTO			300 €
IVA (21 %)			63 €
IMPORTE NETO			363 €

A ABONAR A 30 DÍAS FECHA FACTURA POR TRANSFERENCIA	
BANCO:	CAJA DE AHORROS LOCAL
DOMICILIO:	Avda. del Río, 7
LOCALIDAD:	28000 Madrid
Nº DE CUENTA BANCARIA (20 DÍGITOS):	
23452345234523452345	

Firma:

• **Según este modelo, elabora tú una factura inventando los datos.**

16 ¿Conoces las siguientes marcas españolas? ¿Qué productos crees que comercializan? ¿Sabes por qué se llaman así? Con tu pareja, intenta adivinar a qué hace referencia su nombre.

bimba & lola

• **Escucha el audio y toma nota de las características de cada empresa y del porqué de su nombre.**

Pista 3

17 Lee el siguiente texto sobre la empresa española Telepizza.

El secreto está en la masa

Telepizza es en la actualidad la mayor cadena de pizzerías no americana y la primera en España en el campo de la comida rápida. Con más de mil doscientos establecimientos por todo el mundo factura más de 500 millones de euros. Sin embargo, Telepizza comienza siendo una empresa familiar. En 1986 Leopoldo Fernández Pujals, trabajador de Johnson and Johnson, se asocia con su hermano Eduardo y otros empresarios hosteleros para abrir un negocio en el campo de la restauración. La pequeña pizzería, ubicada en un modesto barrio de Madrid, apenas cuenta con 180 metro cuadrados. Los clientes pueden degustar pizzas horneadas en el propio local o bien, y aquí radica la originalidad del negocio, ofrecen un servicio de reparto a domicilio para que el producto pueda ser consumido en casa, fenómeno totalmente innovador en la década de los 80.

En sus primeros pasos el propio Leopoldo combina su trabajo por la mañana con la regencia de la pizzería por las tardes y los fines de semana. Él mismo elabora la comida que comercializa e intenta mejorar su producto preguntando a sus propios clientes, cuyas opiniones le ayudan a conseguir la exitosa masa. Igualmente le permite acuñar su lema: "El secreto está en la masa", que posteriormente cambió a "La preferida por la masa". Inicialmente reparten todos los pedidos juntos en una furgoneta, pero llegan frías con frecuencia por el tiempo de espera y los atascos, de ahí que se decida el uso de motos, con mayor flexibilidad a la hora de transportar. Esto les permite adquirir el compromiso de entregar la comida caliente y a su tiempo, o de lo contrario reembolsan el dinero a sus clientes. Esta es sin duda una de las claves de su éxito.

- ¿Por qué Telepizza eligió para su publicidad "El secreto está en la masa"?
- ¿Qué características destacarías de Leopoldo como emprendedor?
- Con tu pareja, haz una lista con las fortalezas y debilidades de un negocio como Telepizza.
- Busca información sobre otra cadena de comida rápida y compárala con Telepizza.
- ¿Crees que los negocios familiares son una buena opción? Debate con tus compañeros sobre los aspectos positivos y negativos.

TOMA NOTA

¿Qué es el análisis DAFO? El DAFO estudia la situación de una empresa o de un proyecto, analizando sus características internas (Debilidades y Fortalezas) y su situación externa (Amenazas y Oportunidades).

http://dafo.ipyme.org/Paginas/Home.aspx

A B C CONSTRUYE TU GRAMÁTICA

Telepizza **se crea** en 1986.

¿Te llama la atención el tiempo verbal de este ejemplo?

✓ *¿Qué tiempos verbales aparecen? ¿Qué valor tienen?*

18 Mira la siguiente imagen que recoge la expansión de algunas empresas españolas en EEUU y valora.

Oficina económica y comercial de España en Miami

- ¿Conoces estas empresas? ¿A qué se dedican? ¿A qué sectores pertenecen?
- ¿Cuáles de estas empresas tienen actividad en tu país? ¿Existen otras empresas españolas? Dibuja un mapa de tu país como el anterior y sitúa las empresas españolas que tengan sede allí.
- ¿Qué empresas de tu país se han instaurado en España? ¿Qué tipo de empresas son?

19 Una conocida revista realizó un estudio sobre las ventajas de invertir en España. Con tu pareja, valora las razones a las que aludían y ordénalas por orden de importancia según vuestro criterio.

Razones para invertir en España

- Potencial de crecimiento.
- Situación geográfica privilegiada con acceso potencial a varios continentes.
- Turismo internacional que asciende a 60 millones de personas.
- Facilidad para el transporte aéreo, marítimo y terrestre.
- Importante tejido industrial y excelentes redes de energía y telecomunicaciones.
- Incentivos fiscales para los inversores extranjeros.
- Existencia de más de 80 parques tecnológicos con numerosas empresas establecidas.
- Escasez de restricciones para los inversores extranjeros.
- Apoyo del ICEX, a través de Invest in Spain, y soporte de las administraciones autonómicas y locales.
- Moderna y eficaz legislación en materia de patentes, marcas y diseños industriales.
- Protección de los sistemas de I+D+I.

20 Ahora, por grupos, contestad las siguientes preguntas y debatid- las en clase.

- **a.** ¿Qué es el ICEX? ¿Y los sistemas I+D+I?
- **b.** Como empresario, ¿invertirías en España? Razona la respuesta.
- **c.** ¿Qué otros países están a la cabeza de las inversiones extranjeras?
- **d.** Señala algún punto negativo que pueda tener la inversión de otros países en España.

TOMA NOTA

Según el índice de la OCDE FDI Restrictiveness Index España es la novena potencia del mundo más abierta a los flujos del exterior.

✓ ¿Qué es el OCDE FDI? ¿Qué quiere decir esto?

✓ CHEQUEANDO...

¿Cuáles son las características de una Sociedad Anónima?

¿Qué impuesto deben tributar las empresas todos los años?

¿Señala tres razones para invertir en España.

¿Qué es el IVA? ¿Qué tipos existen en función del producto?

Señala cinco elementos que deben aparecer en las facturas.

¿Qué son las empresas tecnológicas?

¿Cómo funciona una cooperativa? Pon un ejemplo de alguna.

¿Qué es una pyme?

DOSSIER GRAMATICAL ☐ ☐ ☐

PRETÉRITO IMPERFECTO

- Con el pretérito imperfecto hablamos de acciones habituales en el pasado.

  Antes, esta empresa emitía facturas en papel.

- Sirve también para las descripciones en el pasado.

  El primer dueño de esta PYME era un hombre muy agradable.

PRESENTE DE INDICATIVO

- Puede tener también un valor de pasado histórico. Sirve para acercar los hechos al presente.

  En 2011 se hace en España una reforma del sistema del IVA.

ALGUNAS PERÍFRASIS VERBALES

- poder + infinitivo
- deber + infinitivo
- comenzar a + infinitivo
- empezar a + infinitivo
- seguir + gerundio
- dejar de + infinitivo
- llegar a + infinitivo

✋ MANOS A LA OBRA...

Dos amigos quieren crear una empresa y dialogan sobre varios aspectos de la organización. En parejas, representad la conversación.

A

Has decidido asociarte con un amigo para crear una startup.

Estas son tus opiniones:

- Quieres una empresa que sea práctica y se pueda utilizar en la vida diaria.
- Quieres crear una sociedad limitada.
- No quieres que inviertan más socios.
- No estás dispuesto a hacer una inversión inicial elevada.
- Buscas formas de abaratar costes.
- Quieres reinvertir los beneficios en otra startup.

B

Has decidido asociarte con un amigo para crear una startup.

Estas son tus opiniones:

- Quieres una empresa que sea original y para un uso muy específico.
- Quieres crear una sociedad anónima.
- Crees conveniente que participen más inversores.
- Piensas que lo mejor es invertir mucho dinero.
- Eres partidario de explotar las redes sociales.
- Los beneficios los emplearás en esta misma startup.

2 Relaciones laborales

¿ SABÍAS QUE... ?

La **CEOE** es una entidad privada sin ánimo de lucro que defiende y representa los intereses empresariales ante los poderes públicos y la sociedad en general. Esta confederación, fundada en 1977, integra a dos millones de empresas y autónomos que se ven representados por la doble vía del sector al que pertenecen y por el territorio en el que se ubican.

✓ *¿Qué significa CEOE? ¿Cómo funciona? Busca información en su web: www.ceoe.es*

INICIANDO...

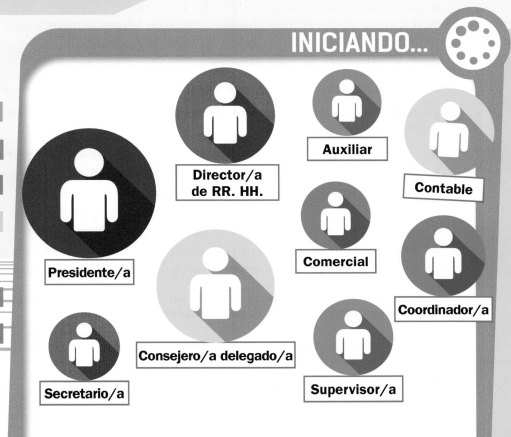

Director/a de RR. HH.

Auxiliar

Contable

Presidente/a

Comercial

Consejero/a delegado/a

Coordinador/a

Secretario/a

Supervisor/a

¿Conoces estos puestos de trabajo?

¿Sabes qué es un organigrama?

¿Sabes qué lugar ocupan estos cargos en el organigrama?

¿Qué perfiles tienen?

Las relaciones laborales son aquellas que se establecen entre el trabajo y el capital en el proceso productivo. La persona que aporta el trabajo se denomina trabajador y es siempre una persona física y la que aporta el capital, se conoce como empleador, patronal o empresario, y puede ser una persona física o una persona jurídica. En las sociedades modernas la relación laboral se regula por un contrato de trabajo.

• ¿Sabes desde cuándo se regulan estas relaciones? ¿Crees que ha cambiado mucho la situación en los últimos 100 años?

https://www.boe.es/buscar/doc.php?id=BOE-A-1976-8373

2 | Relaciones laborales

1 Identifica los puestos que desempeñan estas personas con las funciones que realizan.

| **a.** Director/a gerente | **b.** Administrativo/a | **c.** Comercial |

| **d.** Supervisor/a de compras | **e.** Director/a financiero/a |

a. Lleva a cabo la labor de captación de nuevos clientes y mantenimiento de la cartera de clientes de la empresa.

b. Supervisa y coordina el departamento de compras.

c. Formula el programa anual financiero. Dirige las labores administrativas del área.

d. Se encarga de la recepción de facturas de proveedores y facturación a clientes. Gestiona los pagos y cobros.

e. Dirige el proyecto del programa general y coordina todas las direcciones.

🎧 Pista 4

2 ¿Sabes lo que es un organigrama? Escucha el audio y contesta a las preguntas.

	V	F
a. El organigrama de la empresa sirve para que los empleados sepan donde sentarse.	○	○
b. Es importante definir la visión y la misión de la empresa para establecer el organigrama.	○	○
c. El organigrama define las funciones y la jerarquía de los empleados.	○	○
d. El organigrama funcional es el único que se puede implementar.	○	○
e. Una organización más horizontal no necesita tener un organigrama.	○	○
f. Para definir un organigrama hay que estudiar los procesos de las compañías.	○	○
g. Se debe comunicar a empleados, socios y clientes la estructura del organigrama.	○	○

• **Fíjate en cómo se definen los distintos puestos de trabajo anteriores y con tu pareja explica en qué consisten los siguientes: RR. HH., administrativo, ayudante.**

3 Mira el siguiente organigrama y contesta a las preguntas.

SE DICE ASÍ...

- Es la persona que…
- Se encarga de...
- Es el departamento que registra…

• ¿Qué tipo de organigrama es el del gráfico? ¿A qué tipo de empresa podría corresponder?

• ¿Cómo son los organigramas en tu país? ¿Y en tu empresa?

• Imagina y dibuja el organigrama de una empresa tecnológica donde no haya una estructura muy jerarquizada.

4 **Lee el siguiente texto y contesta a las preguntas.**

Protagonistas

Los agentes sociales son fundamentales

Soledad Ramos nos habla de agentes, diálogo social, concertación y convenios colectivos.

Entrevistador: Mucho se habla de los agentes sociales pero ¿qué son realmente?

Soledad Ramos: Dar una definición concreta es complicado. Los agentes sociales son los representantes de los trabajadores o sindicatos, los empresarios y el gobierno.

E: ¿Y son tan importantes?

S: Son fundamentales. En el artículo 7 de la Constitución española se habla de ellos, así que... Además, una de las manifestaciones esenciales del Estado de Derecho de la Unión Europea es la institucionalización del diálogo social.

E: ¿Qué entendemos exactamente por diálogo social?

S: Se trata de mediar una concertación social entre los Gobiernos y Administraciones Públicas, los sindicatos y las organizaciones empresariales, también llamada patronal. Esta concertación social debe entenderse como un instrumento de esta-

bilidad y participación en la configuración del ordenamiento jurídico.

E: ¿Cuál es entonces su papel fundamental?

S: Podemos decir que, al igual que en la Unión Europea, se trata de establecer una normativa laboral, aunque el ámbito de intervención de los agentes sociales debe ampliarse al concepto de concertación social.

E: ¿Y qué es entonces la negociación colectiva?

S: Mediante ella los trabajadores del sector privado ven fijadas sus condiciones salariales y laborales en convenios colectivos.

E: ¿Entonces estos convenios quiénes los firman?

S: Los sindicatos y las organizaciones empresariales, de manera que se convierten en los gestores tanto de los afiliados como los no afiliados, sin recibir contraprestación por representarles.

E: ¿Y realmente cubren todas las necesidades?

S: Es complicado. En España la cobertura es del 75 %, algo más que en Europa, donde la media es del 62 %.

E: Y los convenios, se establecen para cada empresa?

S: Puede darse el caso, pero generalmente se negocian para pymes que, con pocos trabajadores, no pueden negociar uno propio. Se rigen así por otros convenios sectoriales, provinciales y nacionales negociados por organizaciones empresariales ajenas a la suya.

E: ¿Cuántos convenios puede haber?

S: En España llegan a establecerse unos 5 500 al año para un total de 1 400 000 empresas y más de 10 millones de empleados.

E: ¿Tantos?

S: Claro, se ajustan a necesidades diferentes y están en continuo cambio.

- Escribe una definición para: **Diálogo social** concertación **negociación colectiva** **convenio colectivo**
- ¿Quiénes son los llamados agentes sociales?
- ¿Cómo son en tu país las funciones de los agentes sociales? Resúmelas.

5 **Clasifica las siguientes funciones según las realicen el gobierno, la patronal o los sindicatos.**

- Contrata a los trabajadores.
- Establece los derechos sociales.
- Negocia las condiciones de los trabajadores.
- Ofrece un marco legal.
- Despide a los empleados.
- Procura las mejoras salariales.

- Se reúne con sus afiliados.
- Establece contratos laborales.
- Marca los diferentes índices anuales de las subidas salariales.
- Crea una dinámica de diálogo entre trabajador y empresario.
- Está integrado por trabajadores.
- Persigue el bienestar de los trabajadores.

→ **Debate con tus compañeros la importancia de las asociaciones empresariales y los sindicatos a la hora de mejorar las condiciones de los empleados.**

2 | Relaciones laborales

6 **¿Por qué es importante tener un buen clima laboral? Con tu pareja, decide qué cinco actitudes de esta lista son las más beneficiosas para favorecer las relaciones laborales. Justificad vuestra respuesta.**

- ☐ Cumplir con los objetivos.
- ☐ Inspirar confianza.
- ☐ Aceptar otros puntos de vista.
- ☐ Hacer críticas constructivas.
- ☐ Compañerismo.
- ☐ Saber trabajar en equipo.
- ☐ Comprometerse con el trabajo.
- ☐ Ser paciente con los errores de los demás.
- ☐ Pasar tiempo con los compañeros.
- ☐ Saber ceder en los conflictos.
- ☐ Tener buena actitud.
- ☐ Favorecer la comunicación interna.
- ☐ Trabajar de forma estructurada.
- ☐ Ofrecer responsabilidades y recompensas.
- ☐ Estar motivado.
- ☐ Actuar con prudencia.

TOMA NOTA

Los **sindicatos** son organizaciones defensoras de los intereses de los trabajadores. Se constituyen para la defensa y promoción de intereses profesionales, económicos o sociales de sus miembros. A su vez, los sindicatos de un mismo ramo suelen asociarse para establecer uniones o confederaciones sindicales.

✓ *¿Qué tipos de sindicatos existen? Puedes ayudarte con el siguiente gráfico.*

✓ *¿Sabes cuáles son los sindicatos más importantes en España?*

DISTRIBUCIÓN DE SINDICATOS SEGUN TIPO

346
2.560
7.037
813

- ■ Empresa
- ■ Interempresa
- ☐ Independientes
- ▨ Transitorios

7 **Lee el siguiente texto y participa en el debate.**

El ojo crítico

Más allá de la jerarquía

Las horas en el despacho, junto a los cafés, almuerzos, reuniones, viajes o fiestas favorecen el acercamiento afectivo en el ámbito laboral. Aunque el refrán dice "mucho amor, poca labor", hay estudios que aseguran que este tipo de relaciones de pareja dentro de la oficina implican una mejora en la productividad. A pesar de este dato, lo cierto es que las compañías se muestran poco favorables a esta situación en tanto que las rupturas suelen tener repercusiones negativas.

En España no existe una ley que impida las relaciones sentimentales en este marco, pues sería vulnerar el derecho a la intimidad, pero muchas empresas intentan evitarlas, sobre todo cuando hay una dependencia jerárquica que puede entenderse como una situación de favoritismo. En el artículo 17 del Estatuto de los Trabajadores se prohíbe cualquier discriminación basada en los vínculos de parentesco. Por esta razón, los directivos llevan a cabo maniobras encubiertas como reubicar a uno de los dos en otro departamento diferente, degradarlo a puestos inferiores e incluso el cese contractual. Siempre que no haya un empeoramiento de las condiciones del contrato y se justifique como una necesidad de la empresa, es difícil denunciarlo.

A diferencia de España, en otros países se establecen políticas corporativas que obligan a los empleados a firmar clausulas con el compromiso de abandonar su puesto si se casan con alguien de la compañía.

A DEBATE

¿Crees que las relaciones de pareja son complicadas en el trabajo?

¿Qué ventajas tienen? ¿Qué inconvenientes?

¿Te parecen adecuadas las políticas corporativas de algunas empresas?

¿Cuál crees que debe ser la actitud de una "pareja laboral"?

¿Qué otras relaciones familiares pueden ser difíciles en una empresa?

8 Eres un empresario textil y quieres abrir tu negocio en tu país. Consulta la Cámara de Comercio de tu país y haz una relación de los trámites y las ayudas que puedes recibir.

9 Lee el siguiente texto y realiza las actividades.

Luis García: Hola Manolo, quería preguntarte si sabes los turnos de vacaciones para este año.

Manolo Hernández: Hola Luis, precisamente voy a la reunión que tenemos con Recursos Humanos. Mañana se publicarán los turnos. Por cierto, ¿sabes que hay elecciones al comité de empresa? Podías presentarte.

Luis: La verdad es que no me lo he planteado y tampoco sé exactamente qué funciones tendría que asumir como **enlace sindical.**

Manolo: El delegado sindical es el contacto entre la dirección de empresas y los miembros de la unidad de **negociación colectiva.** Casi todas las organizaciones obreras ofrecen programas de formación a la persona seleccionada para este cargo. En realidad, un delegado sindical funciona como un facilitador y un mediador, entre la dirección de la empresa y los trabajadores.

Luis: Eso es muy general, ¿no podrías definir más las funciones que lleváis a cabo?

Manolo: Nos encargamos de muchas situaciones. Una muy habitual es **manejar las quejas.** El delegado sindical es el primero en responder cuando un empleado presenta una queja formal ante el sindicato, en los términos del acuerdo de negociación colectiva e intenta resolver la disputa con la gerencia.

Luis: O sea, que sois los primeros en percibir los problemas de los empleados.

Manolo: Sí, pero esa no es la única cosa que hacemos. Somos los encargados de **difundir la política de la empresa.** El delegado sindical debe familiarizarse con esta información para asegurar que responde con precisión a las preguntas de los miembros, y ofrecer toda la información. Además, **organizamos las reuniones** para la negociación colectiva local. Este tiene la obligación de preparar la agenda del día y dirigir la reunión correspondiente. Y por último, somos los encargados de dar la bienvenida a los nuevos empleados.

Luis: Tenéis una labor muy importante en la empresa. Voy a pensármelo.

Manolo: Claro, piénsalo bien y si necesitas más información, no dudes en preguntarme.

- ¿Sabes qué significan las expresiones en negrita? Intenta explicarlas con tus palabras.
- Imagina que Luis decide presentarse como enlace sindical. ¿Qué pasos tiene que seguir? ¿Qué funciones tiene que hacer?
- Investiga sobre los sindicatos en tu país. ¿Cómo funcionan? ¿En qué tipo de situaciones intervienen?

¿ **SABÍAS QUE...** ?

Una **Cámara de Comercio** es una organización formada por empresarios o dueños de pequeños, medianos o grandes comercios cuya finalidad es elevar la productividad, la calidad y la competitividad de sus negocios. Las Cámaras actúan como grupo de presión que intenta influir en la creación de leyes favorables para las empresas.

✓ *Busca más información en www.camaramadrid.es*

TOMA NOTA

Se conoce por "mobbing" el acoso que sufre una persona por sus compañeros de trabajo, descalificando sus habilidades, compromiso laboral, etc.

✓ *¿Sabes qué quiere decir mobbing ascendente, descendente u horizontal?*

BORRADOR ADJUNTO

Imagina que tienes un problema grave en el trabajo. Escribe una carta a los sindicatos de tu empresa explicándoles tu situación y pidiendo ayuda.

10 ¿Qué problemas tienen estos trabajadores? Relaciónalos con su significado.

1. *Estoy hasta arriba* de trabajo.
2. ¡Tengo un *marrón* encima! No sé cómo voy a solucionarlo.
3. He oído que van a *largar* a varios compañeros.
4. ¡Qué faena! *Estoy de patitas en la calle.*
5. En mi *curro* también hay varios departamentos.
6. ¡*Estoy quemado*! Este proyecto ha sido duro.
7. Juan siempre *se escaquea* de sus obligaciones. ¡Qué morro!

- a. Me han despedido
- b. Estoy harto
- c. Trabajo
- d. Librarse
- e. Tener un problema
- f. Despedir
- g. Tener mucho trabajo

11 Escucha las siguientes conversaciones y responde a las preguntas.

Pista 5

- ¿Quién es Marta Fernández?
- ¿A qué departamentos llama?
- ¿Qué necesita?
- ¿Qué tiene que hacer finalmente?

12 Marta Fernández llama a Juan Romo, responsable del departamento de papelería, para hacer un pedido. Ordena el diálogo.

☐ Departamento de papelería, ¿en qué puedo ayudarle?

☐ Lo mejor es que me envíes un correo electrónico con el número de referencia en nuestro catálogo y la cantidad de unidades. En cuanto lo reciba, lo paso a almacén y en un plazo de 2 días tenéis el material en vuestra oficina.

☐ Gracias a ti, Marta, espero tu *email*.

☐ Soy Marta Fernández, la secretaria del director. Quería hacer un pedido.

☐ Hola Marta, encantado. Normalmente me llama Rodrigo.

☐ Sí, es verdad, pero él ya no trabaja en la empresa y ahora le sustituyo yo.

☐ Sí, ¿de parte de quién?

☐ Buenas tardes, ¿puedo hablar con Juan Romo?

☐ Sí, Juan. Mira, soy nueva en el departamento y no sé cuál es el procedimiento habitual para hacer los pedidos.

☐ Genial, Juan. Así lo haré. Mil gracias.

☐ Gracias a ti, Marta. Espero tu *email*.

13 Escribe el *email* solicitando el material de la fotografía. Inventa las cantidades.

SE DICE ASÍ...

AL TELÉFONO

- ¿Diga?
- ¿Dígame?
- ¿De parte de quién?
- ¿Quiere dejar un recado?
- No, no está.

———————————

✓ Sí, un momento.

TOMA NOTA

- Las empresas están formadas por diferentes departamentos que llevan a cabo diversas funciones. El número de estos departamentos es variable dependiendo de las dimensiones de la compañía.

- ¿Sabes qué departamentos son más importantes?

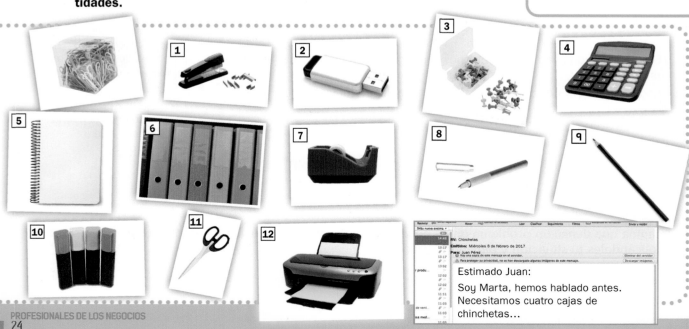

Estimado Juan:

Soy Marta, hemos hablado antes. Necesitamos cuatro cajas de chinchetas...

Pista 6

14 **Escucha el audio y completa las definiciones con las palabras de los recuadros.**

Colectivo	Improcedente	Objetivo	Disciplinario
Procedente	Nulo	Readmisión	Indemnización

1. El despido es _____ cuando las causas pueden quedar demostradas.

2. El despido es _____ si no se siguen los requisitos formales exigidos por la ley.

3. La _____ es la cantidad monetaria que la empresa debe pagar al trabajador ante un despido improcedente.

4. El despido _____ se produce en los casos de un incumplimiento grave del empleado.

5. La _____ consiste en que la empresa tiene que volver a admitir al trabajador en su plantilla a pesar de que había sido despedido.

6. Se llama despido _____ al que está fundamentado en una discriminación prohibida en la Constitución. La empresa tiene que readmitir al trabajador.

7. El despido que está permitido por la ley por causas económicas, técnicas o de producción se llama _____.

8. Se conocen más popularmente como ERE, esto es, Expediente de Regulación de Empleo de Extinción, pero son una forma de despido _____.

15 **Mira estas situaciones y decide de qué tipo de despido se trata.**

- En mi empresa van a despedir al 20 % de la plantilla porque el sector ha sufrido muchas perdidas y estoy entre los que se van a la calle.
- Hace un mes le dije a mi jefe que estaba embarazada y que debía guardar un tiempo de reposo. Me retiró de un proyecto de mucho esfuerzo pero prometió mantenerme en el departamento. Hoy me he incorporado y me han despedido.
- En mi departamento hay una reestructuración y mi puesto va a ser innecesario, por lo que han decidido despedirme.
- He cometido una imprudencia grave al enviar por mail unos documentos confidenciales al departamento equivocado. Me han despedido.

16 **Lee la siguiente noticia y comenta con tu compañero/a.**

ABC CONSTRUYE TU GRAMÁTICA

PRONOMBRES DE OBJETO DIRECTO E INDIRECTO

✓ **Le** han reducido la jornada.

✓ **Se** lo han comunicado hoy.

✓ **Lo** del despido, ya lo sabe.

✓ **Nos** la presentaron ayer.

✓ **Las** llamaron por teléfono.

✓ **Les** dieron una indemnización.

Cuándo el despido se convierte en un trampolín de tu carrera

¿Te han echado de tu empresa? No es el final. Puede ser una oportunidad, no buscada, pero eficaz para impulsar tu vida profesional y alcanzar el éxito.

Jesús Vega asegura haber conocido un buen número de casos profesionales en los que esta circunstancia ha supuesto la mejor experiencia laboral, que fuerza a pensar en otro tipo de escenarios profesionales. Se refiere a la regla del 4 de Silicon Valley: "Los inversores confían preferentemente en startups que han tenido tres fallos anteriores, porque eso les ha otorgado experiencia y aprendizaje. La regla es que a la cuarta tentativa obtendrán más éxito. Y si eso lo vemos en los emprendedores y empresarios, también podemos apreciarlo en el resto de profesionales".

Además, los expertos afirman que "ante un despido tienes la oportunidad de formarte en algo nuevo, de reinventarte. Hay gente que decide emprender o que termina convirtiendo en negocio un *hobby* o su propio ocio. Pero si capitalizas el aprendizaje, sales fortalecido de un fracaso".

Adaptado de www.expansion.es

- ¿Cuál es la idea principal del texto? ¿Estás de acuerdo?
- ¿Conoces a alguien a quien han despedido? ¿Qué sucedió? Cuéntaselo a tus compañeros.
- ¿Cuáles piensas que son las causas más frecuentes de despido? Haz una lista.
- Imagina que eres el jefe de recursos humanos de una empresa y que tienes que despedir a uno de los trabajadores. ¿Cómo se lo dirías? Junto a tu compañero/a, inventa el diálogo y representa la situación.

17 **Lee con atención:**

La Ley de igualdad, cuyo verdadero nombre es Ley Orgánica 3/2007 de 22 de marzo, para la igualdad efectiva de mujeres y hombres, fue aprobada por las Cortes Generales de España, y publicada en el BOE nº 71 de 23/3/2007.

- **¿A qué se refiere esta igualdad? Consulta la ley y haz un resumen de los puntos más importantes.**

18 **Observa las siguientes estadísticas.**

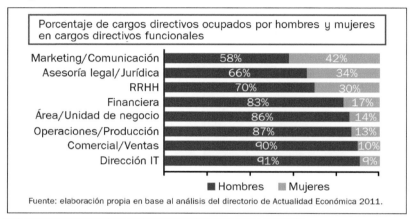

Porcentaje de cargos directivos ocupados por hombres y mujeres en cargos directivos funcionales

	Hombres	Mujeres
Marketing/Comunicación	58%	42%
Asesoría legal/Jurídica	66%	34%
RRHH	70%	30%
Financiera	83%	17%
Área/Unidad de negocio	86%	14%
Operaciones/Producción	87%	13%
Comercial/Ventas	90%	10%
Dirección IT	91%	9%

Fuente: elaboración propia en base al análisis del directorio de Actualidad Económica 2011.

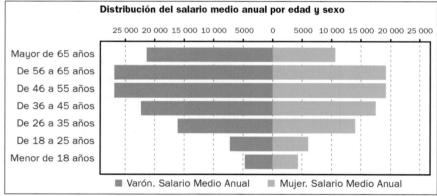

Distribución del salario medio anual por edad y sexo

■ Varón. Salario Medio Anual ■ Mujer. Salario Medio Anual

www.eldiario.es

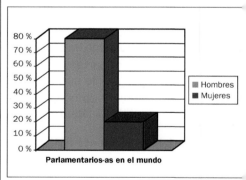

Parlamentarios-as en el mundo

■ Hombres
■ Mujeres

www.generoyeconomia.wordpress.com

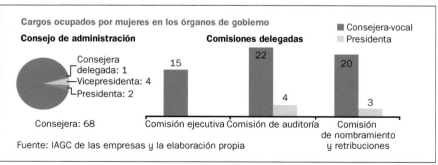

Cargos ocupados por mujeres en los órganos de gobierno

■ Consejera-vocal
■ Presidenta

Consejo de administración

Consejera delegada: 1
Vicepresidenta: 4
Presidenta: 2
Consejera: 68

Comisiones delegadas

Comisión ejecutiva: 15
Comisión de auditoría: 22 / 4
Comisión de nombramiento y retribuciones: 20 / 3

Fuente: IAGC de las empresas y la elaboración propia

- ¿Te sorprenden los datos que recogen las imágenes?
- En tu opinión, ¿por qué crees que hay menos mujeres en puestos directivos?
- Busca información y describe en gráficos cuál es la estadística sobre igualdad en otros países.
- Enumera profesiones en las que, en tu opinión, hay una mayor igualdad entre hombres y mujeres.
- Imagina como será la situación en el 2050, años después de aplicar la ley de igualdad.

19 ¿Sabes lo que es la conciliación de la vida familiar y laboral? ¿Qué diferencia hay entre una baja, una excedencia o un permiso? Mira estas situaciones y relaciónalas con las palabras anteriores.

A

1. Berta ayuda todos los días a su nieta a hacer los deberes. Sale del colegio a las 5 y sus padres no vuelven a casa hasta las 8.

2. Jon coge vacaciones los primeros días de enero para cuidar de su hijo, que aún no ha empezado el colegio después de Navidad.

B

C

3. Sofía sale todos los martes una hora antes del trabajo para poder llevar a su hija a su cita semanal con el dentista.

4. Mar ha estado de baja por maternidad cuatro meses y ha pedido a su jefe incorporarse un mes más tarde para estar con su bebé.

D

20 Lee las siguientes afirmaciones. ¿Crees que son verdaderas o falsas?

**CURIOSIDADES**

	V	F
1. La madre y el padre pueden cogerse indistintamente la baja por nacimiento.	○	○
2. El permiso de maternidad es de 16 semanas en España en todos los casos.	○	○
3. El padre tiene 15 días laborales de permiso.	○	○
4. La legislación sobre los permisos es la misma en toda Europa.	○	○
5. Los permisos de maternidad solo se conceden con los hijos biológicos.	○	○

Carolina Bescansa, diputada por Podemos, acudió en 2016 a un pleno del Congreso de los Diputados con su bebé. La noticia desencadenó una gran polémica.

✓ *¿Te parece apropiado?*
✓ *¿Crees que es una buena forma de conciliación familiar?*

🎧 Pista 7

• **Escucha el audio y comprueba si tus suposiciones eran correctas o no. Después, busca en internet las actualizaciones que se han hecho desde entonces. ¿Qué aspectos han cambiado? ¿Qué te parecen esos cambios?**

21 Observa los datos y haz un informe con la información que se ofrece.

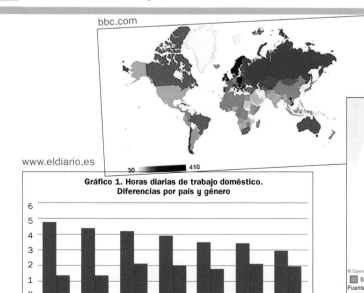

bbc.com

www.eldiario.es

Permiso de maternidad según los días garantizados.

www.eldiario.es

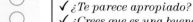
30   410

Gráfico 1. Horas diarias de trabajo doméstico. Diferencias por país y género

Italia   España   Eslovenia   Alemania   R. Unido   Noruega   Dinamarca

■ *Mujeres*   ■ *Hombres*

Reparto del permiso por nacimiento entre los progenitores.

✓ CHEQUEANDO...

> Organiza los puestos y funciones de tu empresa.

> ¿Qué funciones tiene un gerente?

> ¿Para qué sirven los sindicatos?

> ¿A qué llamamos patronal?

> ¿Qué es un ERE?

> Explica algunos cambios que ha producido la Ley de igualdad.

> Define "convenio colectivo".

> Escribe sinónimos de la palabra "despido".

DOSSIER GRAMATICAL

PRONOMBRES DE OBJETO DIRECTO

- Sirven para sustituir a una cosa o persona que ya se ha mencionado.

  La avisaron del despido con tres días de antelación (A Ana).

  Los llamaron a una entrevista de trabajo ayer (A Luis y Juan).

- Sus formas son me, te, lo/la, nos, os, los/las.

PRONOMBRES DE OBJETO INDIRECTO

- **Sustituye a la persona que ha recibido la acción.**

  Le explicaron sus nuevas tareas.

  Os preguntaron por vuestra jornada laboral.

- Sus formas son me, te, le (se), nos, os, les (se).

REDUPLICACIONES

- En algunas ocasiones, los pronombres tienen que repetir al complemento.

  A Susana, la invitaron a la conferencia.

  A ella le gusta su trabajo.

- Otras, es opcional.

  Le ofrecieron un ascenso (a Ana).

HERRAMIENTAS PARA HABLAR POR TELÉFONO

- ¿Diga? ¿Dígame?
- ¿Me puede poner con el departamento comercial?
- ¿Puede dejar un recado?
- ¿De parte de quién?

MANOS A LA OBRA...

Pilar Fuentes se incorpora al trabajo después de una excedencia. A su vuelta, su puesto ha sido ocupado por una adjunta con menos experiencia. Pilar acude al enlace sindical. En parejas, representad la situación.

A

Es Pilar Fuentes y ha tenido una excedencia para cuidar de su hija enferma. Quiere recuperar su puesto en la empresa.

Quiere saber:

- Qué derechos tiene.
- Si es posible recuperar su puesto.
- Si la empresa la degrada, qué puede hacer.

Sabe que:

- Las excedencias están recogidas por ley.
- Tiene muchos más conocimientos y habilidades que su sustituta.

B

Eres el enlace sindical. Una trabajadora acude a ti para saber sus derechos tras una excedencia y pedirte consejo y mediación en su situación.

Quieres saber:

- Todos los detalles sobre su excedencia.
- Si hubo algún pacto previo con la empresa.
- Si está dispuesta a aceptar otro puesto similar.

Sabes que:

- Existe una legislación al respecto.
- Están obligados a conservar el puesto pero no el cargo.

3 Negocios internacionales

¿SABÍAS QUE...?

El nuevo orden económico mundial surgió una vez terminada la Segunda Guerra Mundial. Entonces, se crearon organismos de cooperación e integración para facilitar las relaciones internacionales y contribuir al desarrollo de inversiones extranjeras. Sin embargo, antes del fin de la contienda, en 1941, se sentaron las bases de las nuevas instituciones que fomentaban la paz entre las naciones con la llamada "Carta del Atlántico".

✓ *¿Quién la firmó? ¿En qué consistía?*

INICIANDO...

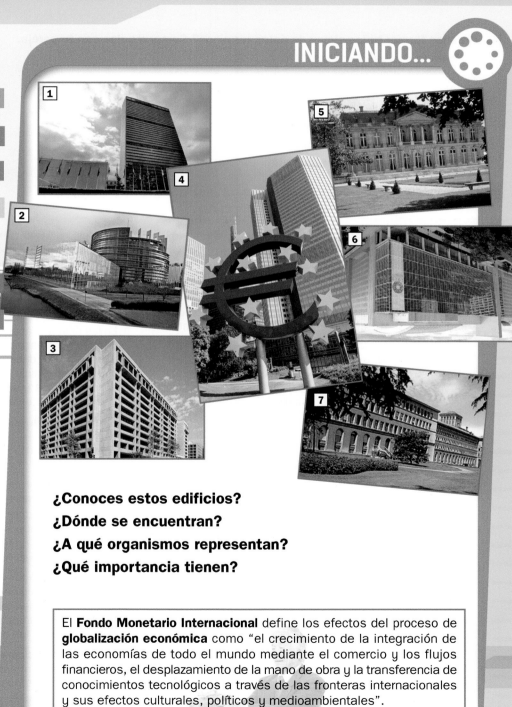

¿Conoces estos edificios?

¿Dónde se encuentran?

¿A qué organismos representan?

¿Qué importancia tienen?

El **Fondo Monetario Internacional** define los efectos del proceso de **globalización económica** como "el crecimiento de la integración de las economías de todo el mundo mediante el comercio y los flujos financieros, el desplazamiento de la mano de obra y la transferencia de conocimientos tecnológicos a través de las fronteras internacionales y sus efectos culturales, políticos y medioambientales".

• ¿Conoces los organismos que regulan la economía en el mundo?

| Negocios internacionales

1 Busca el significado de las siguientes siglas y acrónimos relacionados con organismos oficiales.

- ONU
- UNCTAD
- OMC
- OCDE

- UNESCO
- ACNUR
- CCI
- FMI

- OMS
- UE
- BM
- CEPE

2 ¿Puedes formar tú las siglas de estos términos? Compruébalas con tu pareja.

1. Tratado de Libre Comercio.
2. Comunidad del Caribe.
3. Programa de las Naciones Unidas para el Desarrollo.
4. Organización de las Naciones Unidas para la Alimentación y la Agricultura.
5. Organización del Tratado del Atlántico Norte.
6. Fondo de las Naciones Unidas para la Infancia.
7. Organización no gubernamental.

3 Lee los siguientes textos y relaciónalos con sus siglas o acrónimos.

1. Es la organización internacional existente más importante a nivel mundial. Fue fundada en 1945 en San Francisco (EEUU) con la firma de la Carta de las Naciones Unidas tras el fin de la Segunda Guerra Mundial.

Su tarea es la de facilitar la cooperación a nivel internacional en asuntos como la paz y seguridad, derecho internacional, desarrollo económico y social, asuntos humanitarios y derechos humanos.

En la actualidad, está formada por 193 estados participantes y otros tres miembros con una función de observadores. Su máximo representante es el Secretario General. La sede de este organismo se encuentra en Nueva York.

2. Nació en 1945 como resultado el sistema financiero internacional establecido en los acuerdos firmados en Bretton Woods un año antes.

Su actividad radica en fomentar la cooperación económica internacional y contribuir a la expansión y equilibrio del comercio mundial.

En las últimas décadas, este organismo ha sido sometido a numerosas críticas por otorgar un papel dominante a las naciones desarrolladas y fomentar el capitalismo, causando perjuicio a los países en vías de desarrollo al aplicar análisis y soluciones generales e inadecuadas para sus características propias.

Está integrada por 188 países y su sede está en Washington.

a) OMC   **b) FMI**   **c) ONU**   **d) BM**

3. Aunque se fundó con el propósito de ayudar a los países europeos en la reconstrucción de sus ciudades durante la posguerra, poco a poco fue ampliando sus funciones y actuando paralelamente con otros organismos con los que integra el llamado Grupo del Banco Mundial.

En la actualidad proporciona asistencia técnica y financiera a los países en desarrollo a través de sus agencias y bancos regionales para reducir la pobreza mediante préstamos de bajo interés y créditos sin intereses. También, contribuye a la financiación de proyectos para el Tercer Mundo.

Está integrado por 188 países y su sede se encuentra en Washington.

4. Creada en 1994, esta organización se circunscribe al ámbito comercial. El sistema mundial de comercio que ha articulado se basa en principios como la "no discriminación" y propicia negociaciones multilaterales intentan evitar las recesiones en el comercio mundial.

Gracias a su labor en los últimos tiempos, los intercambios internacionales han vivido un importante crecimiento, y se han reducido los obstáculos al comercio y arbitrado algunas iniciativas relacionadas con las exportaciones de los países en desarrollo.

Su edificio principal está en Ginebra y tiene como principal órgano permanente el Consejo General en el que están representados sus 122 países miembros.

4 Elige dos de las siglas o acrónimos de los ejercicios 1 y 2 y escribe un texto como los anteriores.

5 Investiga con tus compañeros cómo funciona la Unión Europea y señala si las siguientes informaciones son verdaderas (V) o falsas (F).

		V	F
a.	El Presidente del Consejo Europeo se elige cada 2 años y medio.	○	○
b.	La presidencia de la UE cambia cada seis meses.	○	○
c.	El Parlamento Europeo lo forman los presidentes de los países miembros.	○	○
d.	Todos los países tienen el mismo número de escaños en el Parlamento.	○	○
e.	Las elecciones al Parlamento Europeo se celebran cada 5 años.	○	○
f.	La sede de la UE está en París.	○	○
g.	El día de Europa se celebra el 9 de mayo.	○	○
h.	La bandera de la UE solo se iza en las competiciones deportivas.	○	○

Pista 8

6 Escucha el audio y comprueba si tus respuestas son correctas.

7 Lee el siguiente texto y completa los espacios con el presente o el futuro de los verbos entre paréntesis. Después realiza las actividades que se proponen.

En portada

Una economía conectada

En un futuro, la Unión Europea _____ (salir) reforzada de la Gran Recesión, con unas economías preparadas para enfrentar el nuevo orden global de una mejor manera de la que lo estaban en 2008, el año cero. O eso es, a día de hoy, lo que se _____ (intentar). La recuperación económica _____ (estar) en el horizonte de ciudadanos, dirigentes, políticos y demás actores sociales que conforman la Europa de 2014. En 2019, ¿ _____ (ser) esto parte del pasado?

Mientras llega esa fecha, se puede ir viendo qué senda se está emprendiendo, con la idea de que caminos ya andados no han de volverse a pisar. La recuperación económica _____ (unir) dos aspectos, obligada por las circunstancias: el de la austeridad y el del estímulo del crecimiento. En varios países el apretarse el cinturón es sinónimo de recortes. Con cinco economías rescatadas y con la crisis de la deuda soberana, la economía de la Unión Europea, conectada y dependiente, _____ (ser) sin lugar a dudas una de las grandes preocupaciones del estado de la Unión.

Los Estados miembros y las instituciones europeas _____ (estar) perfilando distintos intentos para que esta recuperación sea posible. La unión bancaria y la unión fiscal son dos de las ideas. Mientras, en Bruselas se comienza a dar mayor poder al Banco Central Europeo (BCE) que al final _____ (asumir) la última palabra en la tarea de ser un supervisor único para las economías de la Unión que se quieran sumar, sean o no de la zona euro.

Buscar en el exterior nuevos mercados para aliviar esta tensión interna, para dar salida a los productos europeos, para internacionalizar el comercio _____ (ser) y van a ser un factor decisivo para la recuperación de Europa. Brasil, Corea del Sur, Suráfrica... nuevas latitudes y nuevas potencias económicas en las que Europa _____ (tener) que estar presente si quiere seguir siendo un actor económico global.

¿Qué papel _____ (adquirir) en el nuevo orden mundial? De las medidas y reformas que se_____ (poner) en marcha en estos años _____ (salir) las respuestas en un futuro... que no _____ (llegar) a corto plazo.

Adaptado de www.esglobal.es

- ¿A qué se refiere el término "economía conectada"? ¿Qué cambios se prevee que habrá en la UE en un futuro? ¿Qué países pertenecen a la UE? ¿Desde cuándo?
- Realiza un organigrama de las instituciones más importantes de la UE.
- ¿Sabes quién es el Presidente del Banco Central Europeo? Escribe su nombre y el de otros tres cargos destacados de la UE.
- ¿Crees que ser ciudadano de la UE tiene beneficios? ¿Cuáles? Habla con tu pareja.

A B C CONSTRUYE TU GRAMÁTICA

FUTURO

✓ *En un futuro, la Unión Europea **sufrirá** algunos cambios.*

✓ *En el año 2019, **habrá** nuevas propuestas y **se tendrán** los primeros resultados.*

¿SABÍAS QUE...?

Eurostat es la Oficina Estadística de la UE. Su labor es suministrar estadísticas a escala europea para facilitar la comparación de datos entre países y regiones.

Con sus datos podemos responder a muchas preguntas: ¿El desempleo sube o baja? ¿Hay más emisiones de CO2 que hace diez años? ¿Cuántas mujeres trabajan? ¿Cómo va la economía de un país en comparación con la de otros Estados miembros de la UE?

✓ *Echa un vistazo a su página web (ec.europa.eu/eurostat) e intenta responder a alguna de estas cuestiones.*

8 Lee la siguiente entrevista y contesta a las preguntas.

Protagonistas

La unión hace la fuerza

Adrián Soler, experto en economía de América Latina, resalta la importancia del Mercosur.

Entrevistador: Háblanos entonces del Mercosur. ¿Qué significan sus siglas?

Adrián Soler: Mercosur es el Mercado Común del Sur. Es un importante proceso de integración de los países miembros, que buscan el bienestar de sus pueblos.

E: ¿Y cuáles son los países miembros?

AS: Son Argentina, Paraguay, Brasil, Uruguay, Venezuela y Bolivia, que aún está en proceso de adhesión.

E: ¿Cuándo empezó a funcionar?

AS: El proceso de creación comenzó el 26 de marzo de 1991 cuando Argentina, Paraguay Brasil y Uruguay firmaron el "Tratado de Asunción", que les permitía realizar negocios comerciales entre ellos y actuar en conjunto para hacer acuerdos con otros países

E: Podríamos decir que "la unión hace la fuerza", ¿no?

AS: Por supuesto. Cuando los países trabajan en conjunto, impulsan sus economías y mejoran las relaciones, no solo comerciales, sino políticas, sociales, culturales, etc., entre ellos. No hay que olvidar que el potencial del Mercosur reside en que abarca un espacio muy amplio y de una riqueza natural enorme, agua, biodiversidad, recursos energéticos, tierras fértiles, pero sobre todo, comprende más de 295 millones de personas, lo que se traduce en diversidad cultural.

E: Entonces, ¿qué tipo de medidas se adoptan?

AS: Inicialmente primaban los aspectos comerciales de manera que se buscaba reducir los impuestos que estos países se pagaban mutuamente para vender mercancías. Con el paso del tiempo estas actuaciones se han ampliado a otras áreas como educación, salud, cultura, trabajo, residencia, etc., con el objetivo de integrar aún más a los ciudadanos.

E: ¿Existe algún tipo de estructura institucional dentro del Mercosur?

AS: Claro, el órgano superior es el Consejo del Mercado Común, que es el responsable de la toma de decisiones y de velar por el cumplimiento del Tratado de Asunción y otros acuerdos firmados. La presidencia es ejercida por rotación, en orden alfabético, por los países miembros y durante un periodo de seis meses.

E: Pero hay otros, ¿no es así?

AS: Por supuesto. El Grupo Mercado Común, por ejemplo, que es un órgano ejecutivo compuesto por funcionarios de los Ministerios de Relaciones Exteriores, de los Ministerios de Economía y de los Bancos Centrales de los Estados Partes, entre otros o la comisión de Comercio.

- ¿Qué quiere decir la expresión "la unión hace la fuerza"?
- ¿Crees que el Mercosur es importante para la economía de los países que lo componen? Razona tu respuesta.
- ¿De qué órganos institucionales se compone Mercosur? ¿Qué función tienen? Investiga sobre ello.

9 Mira la siguiente tabla sobre los países que integran el Mercosur.

País	Firma de la adhesión	Ratificación de la adhesión	Superficie	Habitantes	PIB per cápita ($)
Argentina	26 de marzo de 1991	15 de agosto de 1991	2 780 400	43 362 000	22 458
Bolivia	7 de diciembre de 2012	En proceso de adhesión	1 098 581	10 905 000	4996
Brasil	26 de marzo de 1991	25 de septiembre de 1991	8 514 877	205 304 000	12.340
Paraguay	26 de marzo de 1991	15 de julio de 1991	406 752	6 805 000	5294
Uruguay	26 de marzo de 1991	22 de julio de 1991	176 215	3 474 000	16 728
Venezuela	5 de julio de 2012	31 de julio de 2012	916 445	30 825 000	13 633

A B C CONSTRUYE TU GRAMÁTICA

COMPARATIVOS

✓ Brasil es **más** grande **que** Uruguay.

✓ Paraguay es **menos** grande **que** Argentina.

SUPERLATIVOS

✓ Brasil es el país **más grande** de Sudamérica.

✓ Surinam es el país **menos poblado** de Sudamérica.

- ¿Qué países son los más antiguos? ¿Cuáles se incorporaron más tarde?
- ¿Qué países son los más poblados? ¿Y los menos?
- ¿Qué regiones tienen menos superficie? ¿Y más?
- ¿Quién tiene la renta per cápita más alta? ¿Y más baja?
- Escribe un informe comparativo con las cifras que se dan en la tabla.
- Elige dos de los países anteriores y compara sus debilidades y fortalezas.

10 **Estos son los objetivos de los Tratados de Libre Comercio. ¿Puedes explicarlos con tus palabras?**

1. Eliminar barreras que afecten o mermen el comercio entre las zonas que firman el tratado.
2. Promover las condiciones para una competencia justa.
3. Incrementar las oportunidades de inversión.
4. Proporcionar una protección adecuada a los derechos de propiedad intelectual.
5. Establecer procesos efectivos para la estimulación de la producción nacional y la sana competencia.
6. Fomentar la cooperación entre países miembros.
7. Ofrecer una solución a controversias.
8. Evitar el proteccionismo económico de la producción nacional.

11 **Observa el siguiente mapa sobre los Tratados de Libre Comercio en el mundo. Con tu pareja, resuelve las cuestiones que se plantean.**

https://es.wikipedia.org/wiki/Tratado_de_libre_comercio

- ¿Sabes qué significan alguna de estas siglas? (Corresponden a su nombre en inglés).
- ¿Pertenece tu país a alguna de estas asociaciones?
- Crea tu propio mapa con las asociaciones que consideres interesantes y justifícalas.

¿ SABÍAS QUE... ?

Un **tratado de libre comercio** (TLC) consiste en un acuerdo comercial regional o bilateral para ampliar el mercado de bienes y servicios entre los países participantes de los diferentes continentes. Consiste en la eliminación o rebaja sustancial de los aranceles para los bienes entre las partes, y acuerdos en materia de servicios. Este acuerdo se rige por las reglas de la Organización Mundial del Comercio (OMC) o por mutuo acuerdo entre los países.

✓ *¿Crees que este tipo de tratados son importantes para la economía? ¿Por qué? ¿Conoces alguno?*

TOMA NOTA

Brasil, Rusia, India, China y Sudáfrica constituyen el denominado grupo **BRICS**, formado por los países más adelantados entre los estados con economías emergentes. Sus rasgos comunes son una gran población, grandes extensiones de territorio, recursos naturales en abundancia y una fuerte presencia en la economía internacional, de ahí que sean atractivos como destinos de inversión.

✓ *Por sus características, ¿crees que habría otros países susceptibles de convertirse en BRICS?*

12 **Discute con tu pareja sobre los siguientes ítems y clasifícalos según los consideres como fortalezas (F) o debilidades (D) de un país.**

- ☐ Ser productor de petróleo.
- ☐ PIB alto.
- ☐ Tener impuestos elevados.
- ☐ Visión para solucionar problemas a corto plazo.
- ☐ Déficit elevado.
- ☐ Abundante carga burocrática.
- ☐ Presencia en organizaciones internacionales.
- ☐ Índice de natalidad bajo.

- ☐ Poseer recursos naturales.
- ☐ Índice de inseguridad alto.
- ☐ Capacidad de endeudamiento.
- ☐ Crecimiento económico lento.
- ☐ Alto índice de exportaciones.
- ☐ Alto índice de importaciones.
- ☐ Tener una moneda propia.
- ☐ Renta per cápita desigual.

13 Mira las siguientes imágenes. ¿Qué es el G20 y el G8? Busca información y con la ayuda de tu compañero/a escribe una definición de estos grupos y una relación de los países que los integran.

ABC CONSTRUYE TU GRAMÁTICA

GENTILICIOS

Japón	➤	japon**és** / japone**sa**
España	➤	español / español**a**
Canadá	➤	canadi**ense**
Venezuela	➤	venez**olano** / venez**olana**

14 Lee la siguiente noticia y coméntala con tus compañeros. Después, responde a las preguntas según el texto.

Las potencias discrepan en las recetas para reactivar la economía

La declaración final del G20 señala que el estímulo monetario no es suficiente y pide acelerar reformas estructurales.

El G20 no **descarta** ninguna opción que permita **impulsar** el débil crecimiento mundial, pero tampoco **aporta** una respuesta concreta para lograr tal fin. En la declaración final, las mayores potencias desarrolladas y **emergentes** se han comprometido a utilizar "todas las herramientas posibles" para fortalecer la recuperación, pero visibiliza las diferencias entre países a la hora de establecer una receta común: Alemania sigue negándose a explorar la vía fiscal, a diferencia de lo que proponen Estados Unidos y China.

"La recuperación global continúa, pero sigue siendo desigual y se queda corta de nuestra ambición de un crecimiento fuerte, sostenible y equilibrado", afirma el comunicado final de los ministros de Finanzas y gobernadores de bancos centrales del grupo. El texto aporta un diagnóstico común sobre el estado de la economía mundial, pero evidencia que no hay **consenso** sobre cuál es el mejor **remedio**: si seguir bombeando dinero, **afrontar** duras reformas para mejorar la competitividad o apostar por un paquete coordinado de **estímulos** fiscales.

La **cumbre** de los máximos responsables económicos de las 20 mayores economías desarrolladas ha terminado, sin embargo, sin una estrategia colectiva clara ante el frenazo económico. Durante los escasos dos días de conversaciones se pudo observar, por ejemplo, como el ministro de Finanzas alemán rechazaba un plan común en forma de mayor gasto fiscal —una propuesta que no desagrada a las dos mayores economías del mundo, Estados Unidos

y China— y pedía más rapidez en la puesta en marcha de reformas estructurales. Esta visión quedó reflejada en el texto final: "la política monetaria continuará apoyando la actividad económica y garantizando la estabilidad de los precios de acuerdo con los mandatos de los bancos centrales, pero por sí sola no puede conducir a un crecimiento equilibrado".

El Fondo Monetario Internacional y la Organización para la Cooperación y el Desarrollo Económicos han advertido también de la "apremiante necesidad" de que los estados miembros avancen en las **reformas.** "Tenemos que hacer más para lograr nuestros objetivos comunes de crecimiento global", reconocen los miembros del G-20, que en su conjunto copan el 85 % del PIB mundial. La OCDE, el organismo que reúne a los países más ricos del planeta, **rebajó** la semana pasada en tres décimas su proyección de crecimiento global, hasta el 3 %, una cifra baja en términos históricos.

Más allá de advertir sobre los "efectos **adversos**" que pueden **acarrear** los "movimientos desconcertantes" de las tasas de cambio y comprometerse a no **devaluar** las divisas para ganar competitividad externa, el comunicado no recoge ninguna preocupación explícita sobre China, cuya economía está creciendo en su tasa más baja del último cuarto de siglo. Esa es la gran victoria de un país que ha aprovechado esta reunión, la primera del G20 en suelo chino, para alejar los fantasmas de su horizonte económico.

Adaptado de El País, 27/2/2016

- Vuelve a leer el texto y relaciona las palabras siguientes con los términos en negrita.

| acuerdo | cambios | conllevar | crecientes | disminuyó | estimular | hacer frente |

| incentivos | negativos | ofrece | rebajar | rechaza | reunión | solución |

- ¿Cuáles son las posibles respuestas a la situación económica mundial que ofrece el G20?
- ¿Qué otras medidas han adoptado el Fondo Monetario y la OCDE?
- ¿Existen soluciones unitarias? ¿Por qué?
- ¿Quiénes son los países con más poder? ¿Qué posturas han adoptado?

15 Se va a celebrar una cumbre sobre la ayuda a los refugiados. Imaginad que cada uno es representante de un país y debe defender sus posturas. Preparad una intervención de cinco minutos y después debatid sobre el tema con los otros delegados. Reflexionad sobre vuestra posición en torno a los siguientes puntos.

- Responsabilidades de los países desarrollados.
- Cierre o apertura de fronteras.
- Acuerdo Schengen.
- Papel de las ONG.

CONSTRUYE TU GRAMÁTICA

VERBOS DE NECESIDAD E INFLUENCIA

✓ *Necesitamos mejorar nuestra situación económica.*

✓ *Queremos que todos los países cooperen.*

✓ *Pedimos que penséis en las consecuencias económicas.*

16 Lee el siguiente texto y valora la importancia del español.

500 millones de razones para aprender español

Se dice que el español es el nuevo "petróleo" de los países hispanos. En el mundo se hablan más de 8 000 lenguas, pero solo las elegidas se emplean para hacer negocios.

Si bien el inglés fue durante el siglo xx el idioma predilecto para el mundo de la empresa y la política, en el siglo xxi el español está tomando posiciones. Así, se está convirtiendo en un valioso activo para la economía de los países en los que es lengua materna y es, por una parte, un elemento necesario para mejorar la capacidad de proyección internacional de estas naciones, y un reclamo para otros países. Así, se sitúa como la segunda lengua empleada en los negocios, y también la segunda en cuanto a

número de hablantes nativos, después del chino. En cifras, es hablado por 500 millones de personas, lo que supone casi un 10 % del PIB mundial.

Gracias al auge de los países latinoamericanos, ricos en recursos naturales, y del interés por las culturas hispanas, ya sea en forma de literatura o música, o a las transacciones comerciales con todos estos países, se ha desarrollado una creciente necesidad del conocimiento de nuestro idioma, que ha pasado a convivir como lengua oficial junto a otras en diversos organismos oficiales. Del mismo modo, los empresarios emiten sus tarjetas de presentación en el idioma de Cervantes para gozar de una mayor proyección. Y esto es solo el comienzo.

- ¿Por qué se dice que el español es "petróleo" para algunos países?
- ¿En qué países el español es la lengua oficial? Haz una lista.
- ¿Cuáles crees que son las razones para que el español tenga tanto éxito?
- Haz una encuesta entre tus compañeros/as: ¿Por qué estudian español?

CURIOSIDADES

Anualmente se produce la reunión del Foro Económico Mundial en la ciudad suiza de **Davos**. En ella, los principales líderes, intelectuales, ejecutivos y personas más poderosas del planeta pagan una cantidad importante de dinero para debatir sobre las mayores problemáticas del mundo. El Foro Económico Mundial es independiente e imparcial. No está sujeto a ningún interés político y carece de ánimo de lucro.

✓ *¿Qué interés crees que tienen este tipo de reuniones? ¿Te parecen reuniones creativas o un club de privilegiados?*

17 ¿Sabes cómo son las tarjetas de presentación en España? Mira la siguiente y responde las preguntas.

1. ¿Te parece un diseño clásico o moderno?
2. ¿Crees que es conveniente el uso de colores?
3. ¿Qué opinas del tipo de letra?
4. ¿Deben aparecer todos los caracteres en el mismo tamaño?
5. ¿Qué datos contiene? ¿Son suficientes? ¿Te parece apropiada? ¿Por qué?
6. ¿Cómo piensas que debe ser una tarjeta de presentación?
7. ¿Son iguales en todos los países?

BORRADOR ADJUNTO

Dibuja tu propia tarjeta de presentación. ¿Clásica o moderna? ¿Seria o divertida? Incluye los datos que consideres más relevantes. Después, exponla al resto de la clase y justifica tus elecciones.

18 Lee estos testimonios y reflexiona sobre ellos.

Teníamos entre manos un negocio de millones de euros y los perdimos por unos minutos. Llegamos a nuestra reunión con los holandeses a las 11:20, veinte minutos tarde, y ya se habían ido. No entiendo qué pasó. Qué maleducados, ¿no?

El otro día tuvimos una interesante reunión con una multinacional alemana. La verdad es que el trato fue muy afable y tratamos a nuestros huéspedes como a nuestra familia. Sin embargo, han retirado la oferta. No entiendo nada.

La semana pasada el presidente de la empresa japonesa Kawasunamaki nos regaló unos grabados japoneses. En cuanto abrí el regalo, le dije que eran preciosos pero puso muy mala cara y la reunión fue un poco tensa.

- **¿Qué pasó en estas situaciones? ¿Por qué no funcionaron los negocios?**

19 Lee el siguiente texto.

Donde fueres, haz lo que vieres...

En un mundo globalizado nos vemos obligados a movernos en entornos multiculturales es decir, con distintos idiomas y costumbres diversas. Para estas situaciones, ya en el siglo XVI, Don Quijote le dio un sabio consejo a Sancho Panza: *"donde fueres haz lo que vieres."*. Esto es, observar, conocer y aprender.

Y eso es exactamente lo que debemos hacer si queremos triunfar fuera de nuestras fronteras. Conocer los horarios, las normas de cortesía, el protocolo en la mesa, las técnicas de negociación o saber cómo interpretar los gestos de los países que visitamos puede inclinar la balanza a nuestro favor. Desconocer las reglas del juego en el protocolo internacional puede provocar malos entendidos, situaciones incomodas e incluso caer en la descortesía y ofender a nuestros invitados o anfitriones.

De nuestro comportamiento dependerá la imagen y el prestigio de la empresa y de la propia imagen. Cuestiones como el saludo, entregar la tarjeta profesional, respetar la distancia de seguridad, conocer las costumbres gastronómicas, facilitan las relaciones entre las empresas de distintos países. Según los estudios, solo el 20 % de una negociación internacional estará ligada directamente al producto, precio o servicio, por lo que no deben pasarse por alto todos estos factores relacionados con el saber estar.

Por lo tanto, conocer, aplicar y adaptar las normas de cada lugar a las situaciones empresariales o sociales, nos permitirá movernos con naturalidad y seguridad, y serán la llave para entrar con éxito en los negocios.

- ¿Por qué es tan importante el protocolo en los negocios? ¿Podemos conocer las prácticas sociales en todos los países? ¿Qué debemos hacer?
- ¿A qué nos referimos con el "saber estar"? ¿Qué quiere decir entonces el "saber hacer"?
- ¿Qué crees que debemos hacer ante las siguientes situaciones?
  1. Dar una tarjeta de visita en China.
  2. Organizar una comida de trabajo con una delegación de Arabia Saudí.
  3. Tener una reunión de negocios con empresarios indios.
  4. Organizar un semana de trabajo en Israel.
  5. Agradecer una invitación en un país escandinavo.

20 **Mira las siguientes fotos.**

- ¿En qué consisten estos saludos?
- ¿Cómo se saluda en tu país cuando se hacen negocios?
- Mira la siguiente situación y reflexiona:

Carlos Rodríguez y Ana Ruiz están esperando en la puerta del despacho de la directora de una importante compañía inmobiliaria. Van a presentarle un proyecto informático que les proporcionará un ahorro de tiempo de gestión importante. La directora es francesa. Y ahora, en el momento de entrar a saludarle Carlos tiene dudas: ¿debe darle la mano? ¿besársela?... Y Ana, como es mujer, ¿debería darle un beso? ¿o tres?

- ¿Cómo piensas que deben actuar? ¿Has sentido dudas alguna vez en una situación similar?
- Escucha el siguiente audio y toma nota de los saludos en los siguientes países:

Pista 9

| Norteamérica | Países orientales | Unión Europea | Rusia |

21 **¿Es normal en España? ¿Y en tu país? Reflexiona con tu compañero/a sobre estas situaciones en los negocios.**

Invitar a una copa después de una cena de negocios

Hablar de temas personales antes de una reunión de trabajo

Hablar de política

Rechazar un regalo

Dar un abrazo

Hacer un brindis durante una comida

Llegar 15 minutos tarde

Ir vestido de manera informal

Agradecer una invitación

Beber vino durante una reunión en una comida

Invitar a casa a un director de otra empresa

Cerrar un acuerdo en la primera cita

Poner los codos en la mesa durante una comida

Sentarse de forma jerárquica en una reunión

3

| Negocios internacionales

✓ CHEQUEANDO...

Escribe las siglas de cuatro organismos internacionales.

¿Qué son los países emergentes? ¿y los países desarrollados?

Enumera cinco de los países que integran el G 20.

¿Cómo se llaman los habitantes de Brasil? Escribe los gentilicios de 5 países.

¿Por qué es importante el protocolo en los negocios?

¿En qué consiste el Mercosur?

¿Cada cuántos años se elige el Parlamento de la UE?

¿Qué son los países BRICS?

DOSSIER GRAMATICAL

FUTURO

- Sirve para expresar acciones futuras.

  La semana que viene se celebrará la cumbre de la OTAN.

- Tiene un valor de probabilidad en el presente.

  No entiendo la postura política de la UE. No sé, estará intentando superar la crisis.

VERBOS DE INFLUENCIA Y NECESIDAD + SUBJUNTIVO

- Con estos verbos, utilizamos el infinitivo cuando los dos verbos tienen el mismo sujeto.

  Algunos países quieren entrar en el Mercosur.

- Utilizamos subjuntivo cuando el verbo principal y el verbo subordinado tienen diferente sujeto.

  La ONU quiere que los países miembros apoyen sus acuerdos.

COMPARAR

- Podemos hacer comparaciones de superioridad, inferioridad o igualdad.

  Hay países más potentes que otros.
  Este delegado tiene menos poder que el presidente.

- También podemos destacar un objeto frente al resto.

  España es igual de influyente que Italia.
  EEUU es la potencia más fuerte de América.

MANOS A LA OBRA...

Arianne es una empresaria inglesa que acude a una reunión de negocios con Sofía, presidenta general de la compañía en España. Con tu compañero/a representa la siguiente situación.

A

Tienes una reunión de negocios con la presidenta general en España de la empresa donde trabajas tú en Londres. Habéis quedado en un restaurante. Estas son tus opiniones:

- Pretendes saludar con un apretón de manos.
- Quieres empezar a hablar cuanto antes de los asuntos.
- Eres vegetariana.
- No ves bien beber vino en la comida.
- No entiendes que tu compañera quiera brindar.
- Sigues el protocolo inglés en la mesa.
- Te muestras correcta y seria.

B

Tienes una reunión de negocios con la presidenta general en Inglaterra de la empresa donde trabajas tú en España. Habéis quedado en un restaurante. Estas son tus opiniones:

- Pretendes saludar con dos besos.
- Preguntas sobre otros asuntos antes de hablar de negocios.
- Quieres que tu invitada pruebe la carne, que es la especialidad.
- Ofreces la mejor botella de vino de la carta.
- Propones un brindis por el encuentro.
- Sigues el protocolo español en la mesa.
- Te muestras amigable y distendida.

4 Recursos humanos

INICIANDO...

AGENDA

✓ La búsqueda de empleo

✓ El currículum

✓ La carta de presentación

✓ La entrevista

✓ Los anuncios de trabajo

✓ Los horarios laborales en España

¿ SABÍAS QUE... ?

El departamento de Recursos Humanos (Dpto. de RR. HH.) se encarga de la selección, contratación y formación de los empleados. Sus funciones son en realidad muy variadas.

✓ *¿Cuáles son otras de sus funciones? Haz una lista.*

¿Quiénes son estas personas? ¿Qué hacen?

¿Qué te sugieren estas imágenes? Descríbelas.

¿Sabes lo que es un *contrato indefinido*? ¿Y un *contrato en prácticas*? ¿Qué significa *finiquito*?

Lee el siguiente párrafo de la Constitución Española.

Todos los españoles tienen el deber de trabajar y el derecho al trabajo, a la libre elección de profesión u oficio, a la promoción a través del trabajo y a una remuneración suficiente para satisfacer sus necesidades y las de su familia, sin que en ningún caso pueda hacerse discriminación por razón de sexo.

(Artículo 35)

• La legislación de tu país, ¿reconoce el derecho al trabajo? ¿Qué dice sobre el trabajo?

4

| Recursos humanos

1 **¿Conoces las siguientes palabras? Relaciónalas con su definición.**

○ Autónomo

○ Trabajador por cuenta ajena

○ Funcionario

○ Profesión liberal

○ Parado

a. persona que desarrolla un trabajo público al que se accede por oposición.

b. persona que tiene un contrato laboral con una empresa.

c. persona que trabaja por su cuenta, sin estar contratada por una empresa.

d. persona que está temporalmente sin empleo.

e. actividad basada en el aporte intelectual, el conocimiento y la técnica.

2 **Lee el texto y comenta con tus compañeros las siguientes preguntas.**

Protagonistas

«Buscar trabajo es un trabajo»

Entrevistador: Sra. Font, díganos, ¿cómo surge este proyecto?

Andrea Font: Pues nace como respuesta al panorama social actual de nuestro país. La realidad es que afrontar la tarea de buscar empleo en un momento de crisis como el que estamos viviendo es dura. Más bien, desesperante.

E: ¿A quién va dirigido?

AF: Realmente estamos abiertos a todo tipo de gente parada, desde jóvenes recién licenciados a personas ya más maduras con amplia experiencia profesional. También apoyamos la labor de autónomos y de emprendedores que quieren montar su propio negocio.

E: ¿En qué consiste entonces la ayuda que proporcionan?

AF: Servimos de orientación y punto de partida. Buscar trabajo es un trabajo, de ahí que intentemos ofrecer las herramientas necesarias para ello.

E: ¿Y cuál sería entonces la primera recomendación?

AF: Yo aconsejaría reflexión, esfuerzo, tiempo y método. Mantener una actitud positiva es también un requisito fundamental para lograr el éxito profesional

E: ¿Qué quiere decir con «reflexión» exactamente?

AF: Que lo mejor es empezar por el autoanálisis: ¿Quién soy? ¿Qué sé? ¿Qué puedo hacer? ¿Qué quiero hacer? Una vez que toman conciencia de sus limitaciones y valoran sus puntos fuertes, nuestros usuarios deben acercarse al mercado laboral.

E: ¿Y cómo accedemos a la información?

AF: Aunque parezca obvio, lo mejor es observar todo lo que nos rodea: escuchar, ver, hablar, leer... Estar informado, en definitiva.

E: Internet es fundamental, supongo...

AF: En efecto. Hoy en día facilita mucho las gestiones. Navegar por los portales de empleo *on-line* a diario se convierte en un recurso indispensable. Llevamos ya tiempo sin utilizar el correo postal para enviar los currículos. ¿Mejor? Diferente. Hay que adaptarse a la modernidad.

E: ¿Podemos afirmar entonces que su programa de ayuda es exitoso?

AF: Al menos es un apoyo. Poder contactar con gente en su misma situación así como con nuestro equipo de profesionales es muy importante. Y si, finalmente, logramos nuestra meta, un contrato, podemos estar contentos.

- ¿Te parece una buena iniciativa? ¿Por qué?
- ¿Cómo buscas habitualmente trabajo? ¿Cómo encontraste tu último empleo?
- El artículo habla de la «reflexión» como punto de partida para la búsqueda de trabajo. ¿Te parece una buena recomendación? ¿Puedes añadir algún consejo más?

> ! Fíjate en las formas que utiliza la entrevistada para dar consejos. Escríbelas en tu cuaderno.

3 ¿Sabes a qué se refiere el término «autoempleo»? Escucha el audio y toma nota de sus ventajas. Después comenta con tus compañeros.

Pista 10

| **Ventajas del autoempleo** |

3.1. Vuelve a escuchar y reflexiona.

1. ¿Crees que el autoempleo es una buena opción o una apuesta arriesgada?
2. ¿Cuáles crees que son los negocios con más posibilidades?
3. Y a ti, ¿qué negocio te gustaría emprender?
4. ¿Qué otras ventajas tiene ser «emprendedor»? ¿Y qué puntos negativos?
5. ¿Aconsejarías el autoempleo? ¿Por qué?

A B C CONSTRUYE TU GRAMÁTICA

SER + ADJETIVO
El empleado es trabajador y respetuoso con sus compañeros.

ESTAR + ADJETIVO
El jefe está capacitado para tomar decisiones.

4 Mira los siguientes adjetivos. ¿Cuáles crees que definen a un emprendedor? ¿Por qué? Clasifícalos según se usen con SER o con ESTAR.

ambicioso	atrevido	capacitado	constante
controlador	deprimido	despreocupado	eficaz
eufórico	impulsivo	tímido	entusiasmado
mentiroso	metódico	negativo	observador
original	puntual	preparado	satisfecho

Ej.: Ser ambicioso es muy importante en los emprendedores porque ellos son los que tienen que marcar sus metas y conseguir todos sus objetivos.

5 Según el último sondeo realizado por el Instituto del Trabajo, estas son algunas de las características más valoradas por los trabajadores a la hora de buscar un empleo en una empresa. Léelas con atención y señala las diez que te parecen más importantes. Coméntalo con tu pareja.

- ☐ Trabajo en equipo.
- ☐ Horario flexible.
- ☐ Formación a cargo de la empresa.
- ☐ Jornada laboral reducida.
- ☐ Posibilidad de viajar.
- ☐ Incentivos por producción.
- ☐ Buen ambiente de trabajo.
- ☐ Tener personal a nuestro cargo.
- ☐ Jornada laboral intensiva.

- ☐ Buen salario anual.
- ☐ Tener un jefe accesible y cordial.
- ☐ Posibilidad de desarrollo profesional.
- ☐ Coche, teléfono, vivienda u otros ítems proporcionados por la empresa.
- ☐ Gastos de viaje y dietas.
- ☐ Responsabilidad en el cargo.

- ☐ Despacho propio.
- ☐ Incremento salarial por antigüedad.
- ☐ Posibilidad de trabajo en casa.
- ☐ Facilidades de gimnasio, guardería, beneficios bancarios, seguro médico, etc.
- ☐ Contrato indefinido.
- ☐ Vacaciones.

BORRADOR ADJUNTO

Y tú, ¿quién eres?, ¿qué sabes?, ¿qué puedes hacer?, ¿qué quieres hacer?, ¿qué valoras? Piensa en tus capacidades y puntos débiles y escribe tu propio autoanálisis.

6 **Lee las siguientes afirmaciones sobre un proceso de selección de personal. ¿Estás de acuerdo? ¿Por qué? Habla con tus compañeros.**

1. En un proceso de selección de personal debe valorarse ante todo la formación.
2. Mentir en un currículum puede ser beneficioso en un primer momento pero desastroso a largo plazo.
3. El currículum debe contener datos de la vida privada como la edad, el estado civil, los hijos, las aficiones o las enfermedades del trabajador. Igualmente, siempre debería ir acompañado de una foto.
4. Debemos intentar omitir del currículum todo tipo de experiencia laboral que no esté relacionada con el sector al que se dedica la empresa que ofrece un puesto de trabajo.
5. Cuanta más información en el currículum, mejor. Así podrán ver todo lo que podemos y sabemos hacer.
6. En el CV hay que saber venderse: no importa tanto lo que se dice sino cómo se dice.

Ej.: Estoy de acuerdo con esa afirmación porque...
Pues yo no opino lo mismo porque...

7 **Lee el siguiente texto y contesta a las preguntas.**

En portada

¿Existe el currículum perfecto?

Numerosos portales de empleo ofrecen modelos para redactar un buen currículum, pero ¿realmente existe un único formato válido? ¿Qué aspectos debemos tener en cuenta?

Según diversos estudios, los **reclutadores** emplean únicamente seis segundos en revisar el currículum de un **candidato** y realizar una **selección** inicial. Por esta razón, el **aspirante** debe prestar especial atención a los datos que ofrece en su currículum e, igualmente, a su presentación. Tan importante como la elección de información puede llegar a ser el formato y otros aspectos detectables en un primer vistazo.

«El currículum perfecto no existe», afirmaba John Garrik para *The Economist*. «Hay tantos tipos como clases de personas y su redacción está siempre condicionada por la empresa a la que se dirige. Hay informaciones que son relevantes en un empleo pero que para otros no, e incluso pueden ser negativas. El currículum debe comunicar algo y debe hacerlo de una manera efectiva.»

Si bien es cierto que todo currículum tiene como fin conseguir la **entrevista de trabajo** y debe tener unas secciones fijas como los **datos personales**, la **formación académica**, la **experiencia laboral, idiomas y otros datos de interés**, existen tantos modelos perfectos como ocasiones tenemos de optar a un **puesto de trabajo**. Presentado con un **formato cronológico, funcional** o **combinado**, deben evitarse caer en algunos errores que sin duda causarán mala impresión y nos conducirán al fracaso.

- ¿Sabes qué significan las palabras en negrita? Busca su significado.
- ¿Qué tipos de currículum existen según su formato? Explícalos.
- ¿Cómo es tu currículum? ¿Crees que tiene errores? ¿Qué formato tiene?
- Con tu pareja, enumera los errores que creéis deben evitarse en el currículum.

Pista 11

8 **Escucha el testimonio de Ramón Suárez, experto en selección de personal, y marca si las siguientes afirmaciones son verdaderas (V) o falsas (F).**

	V	F
Ramón Suarez ofrece las claves del currículum perfecto.	○	○
Hay que mirar a fondo cada currículum para detectar errores.	○	○
Utilizar la palabra precisa demuestra las capacidades del candidato.	○	○
Los currículums visuales y con colores son más atractivos.	○	○
Debemos elegir una fotografía natural, que nos muestre tal y como somos.	○	○
El *email* de contacto debe ser el que utilicemos frecuentemente.	○	○
Adornar la información puede tener consecuencias positivas.	○	○

TOMA NOTA

La Comisión Europea ofrece un modelo de currículum.

✓ *Entra en la página europass, descarga uno y compáralo con el tuyo.*

9 **¿En qué apartado del currículum podríamos situar estos datos?**

- Voluntariado Cruz Roja.
- Licenciada en ADE.
- Francés: nivel básico.
- Máster en Gestión Pública.
- Italiano: nivel intermedio.
- Carnet de conducir.
- Curso de Comunity Manager.

- mgm@email.email
- Manejo de Photoshop.
- Becario en la Fundación ISD.
- Móvil: 6557897675.
- Posibilidad de traslado.
- Responsable de ventas.
- Prácticas en La Cámara de Comercio de Madrid.

10 **Mira el esquema de una carta de presentación. Después, escribe una según el modelo solicitando el puesto de trabajo que se anuncia abajo.**

Datos del candidato
Nombre
Dirección
Teléfono

Datos del destinatario
Nombre y cargo en la empresa
Dirección
Referencia del puesto

Lugar, fecha

Primer párrafo:
Presentación y saludo a la persona o departamento al que se dirija. Si la carta responde a una oferta precisa, es necesario mencionarla. Si se trata de una petición espontánea de empleo, debe llamar la atención y explicar el motivo de contacto con la empresa.

Segundo párrafo:
Se expone que se tiene el perfil adecuado para el puesto y que se adjunta el currículum.

Tercer párrafo:
Se mencionan algunos de los logros profesionales o académicos.

Cuarto párrafo:
Sugerencia de una entrevista de trabajo. Se puede insistir en la disponibilidad para una cita.

Último párrafo:
Se agradece la atención que han prestado y se incluye una despedida formal.

A B C CONSTRUYE TU GRAMÁTICA

PRETÉRITO PERFECTO.
✓ En mi vida laboral, **he trabajado** en varias empresas.
✓ Esta mañana **he tenido** una entrevista de trabajo.

PRETÉRITO INDEFINIDO.
✓ En 2013 **hice** un máster en publicidad.
✓ Ayer **preparé** mi currículum para la oferta de empleo de esa empresa.

TOMA NOTA

Incluir referencias en el currículum y en la carta de presentación da un toque de distinción y hace más fiable tus afirmaciones. Se aconseja avisar a las personas citadas por si reciben una llamada para contrastar datos.

✓ *Escribe un email a tu anterior jefe contándole que has solicitado un nuevo empleo y sugiriéndole sutilmente que hable bien de ti si fuera necesario.*

EMPRESA DEL SECTOR INFORMÁTICO
necesita
INGENIERO INFORMÁTICO

Para desarrollar sistemas de seguridad. Se valorará experiencia en el sector y conocimientos de programación.

Interesados enviar currículum a RR.HH@jmail.es

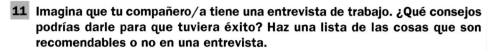

4 | Recursos humanos

¿ SABÍAS QUE... ?

En los procesos de selección se realizan entrevistas de muy diferentes tipos: juegos de rol, entrevistas inversas, discusión de problemas en grupo, análisis de datos, test, etc.

✓ *¿Cuáles te parecen más efectivas? ¿En qué tipo de empresas aplicarías cada una de ellas?*

👀 CURIOSIDADES

¿Te imaginas una empresa sin jefes? Pues existen. Son compañías de organización horizontal donde no existe la jerarquía convencional vertical. Trabajan en equipo, toman las decisiones conjuntamente y los directivos son elegidos por sus propios compañeros. La transparencia y confianza son sus herramientas de trabajo.

✓ *¿Piensas que es posible que funcione este sistema? Razona tu respuesta.*

11 Imagina que tu compañero/a tiene una entrevista de trabajo. ¿Qué consejos podrías darle para que tuviera éxito? Haz una lista de las cosas que son recomendables o no en una entrevista.

Ej.: Deberías apagar el móvil. Da muy mala impresión si te suena durante la entrevista.

12 Lee el siguiente texto y participa en el debate.

¿La impresión es lo que cuenta?

Si tan importante es presentar un buen currículum, tanto o más es dar una buena impresión llegado el momento de la temida entrevista de trabajo. Prestar especial atención al aspecto, a la vestimenta y mantener una actitud adecuada va a ser determinante para que consigas el puesto y descuidar estos aspectos puede llevarte al fracaso profesional.

Nuestra tarjeta de presentación en el cara a cara es nuestra apariencia. La ropa que llevamos dice mucho de nosotros. Ni vamos a una boda ni con los amigos al bar, esto es, nuestra elección no debe ser ni demasiado elegante ni informal. Es interesante documentarse previamente sobre el tipo de empresa al que vamos y su «código de vestimenta» para no desentonar. El pelo arreglado, la ropa bien planchada y la higiene personal son requisitos imprescindibles para conseguir el éxito. Los expertos también recomiendan evitar cualquier tipo de joyas o complementos que puedan distraer al seleccionador.

Los entrevistadores ya conocen nuestros méritos, pero quieren vernos en acción y observar cómo nos desenvolvemos. Los nervios no deben jugarnos una mala pasada de ahí que intentemos controlar el movimiento de los ojos, de los brazos, los gestos excesivos, e incluso la postura. Una vez que nos inviten a sentarnos, debe evitarse cruzar las piernas o los brazos, ya que puede ser considerado como una barrera que ponemos ante los demás y una actitud poco abierta. Debemos mantener una actitud recta, serena y receptiva, asintiendo con la cabeza y dando muestras de interés ante lo que nos dicen. Igualmente, respetar los turnos de palabra y huir de un trato demasiado familiar o con vocabulario poco apropiado sumará puntos en nuestra valoración positiva. No obstante, es preciso recordar que nuestra conducta empieza a observarse desde el momento en que entramos en la empresa, por lo que la educación y amabilidad con otros empleados también será determinante.

13 Reflexiona sobre tu última entrevista e intenta recordar...

- si fuiste puntual.
- si utilizaste «tú» o «usted».
- cómo era el entrevistador.

- cómo ibas vestido.
- cómo te sentaste.
- cómo te sentiste.

- qué tipo de zapatos llevabas.
- si estabas nervioso/a.
- si conseguiste el empleo.

A DEBATE

¿Cuál debe ser la apariencia y actitud del entrevistador?

¿No crees que es superficial valorar la imagen de una persona?

¿Es justo que una mala imagen pueda desprestigiar un buen currículum?

¿Crees que realmente la imagen es tan importante?

¿Piensas que deberíamos ir a una entrevista tal y como vestimos normalmente?

Pista 12

14 **Escucha la conversación entre dos amigos y contesta a las preguntas con verdadero (V) o falso (F).**

	V	F
• Los personajes hablan de la entrevista de trabajo de uno de ellos.	◯	◯
• El currículum de Antonio tiene algunos errores.	◯	◯
• La entrevista de trabajo es para una empresa de transporte.	◯	◯
• Antonio sale muy joven en la fotografía de su currículum.	◯	◯
• El apartado de formación académica es adecuado.	◯	◯
• Antonio ha trabajado como ingeniero.	◯	◯
• Antonio habla inglés e italiano.	◯	◯

15 **Mira estas ofertas de trabajo y completa con las palabras del recuadro de léxico.**

CONSULTORÍA BOSTER S.A.

Precisa de Asesores financieros con experiencia en el sector. Ofrecemos contrato _____ desde el primer momento con _____ de ocho horas en _____ de 7 a 15 o de 15 a 23.

_____ anual de 40 000 euros dividido en catorce pagas y dos _____ más _____.

_____ con la empresa: bostersa@jotmail.com

SE BUSCAN URGENTEMENTE

Emprendedores para _____, desde casa en una agencia de publicidad. _____ flexible. Se necesitan _____ en informática y dominio de francés y portugués. _____ y pago por proyectos.

Interesados llamar al
678 999 777 345

EMPRESA DEL SECTOR DE LAS TELECOMUNICACIONES

Requiere _____ en Telecomunicaciones sin _____ en el sector. Formación complementaria _____. Contrato de _____ de tres meses con posibilidad de _____ a seis. _____ de 10-13 horas y de 15-18 horas. Se valorarán _____.

Mandar currículum a
telecosearch@gemail.net

¿A cuál de las tres ofertas se ajustaría más tu perfil?

16 **Empareja el tipo de contrato con su correspondiente definición.**

◯ Contratos indefinidos
◯ Contratos temporales
◯ Contratos de formación
◯ Contratos en prácticas

a. facilita la experiencia adecuada a trabajadores con título universitario.

b. no establece límites de tiempo.

c. facilita la preparación a los trabajadores sin cualificación profesional.

d. establece una duración limitada.

17 **Con tu pareja, imagina la siguiente situación. Escribe el diálogo y decide el final.**

El becario de la empresa está preocupado porque va a terminar su periodo de prácticas y se reúne con el responsable de recursos humanos para preguntarle sobre su futuro en la empresa. Quiere continuar trabajando con ellos y pide que se le haga otro tipo de contrato. El responsable valora con él la posibilidad de otros contratos.

LÉXICO

Ampliación
Turnos
Conocimientos
Salario bruto
Incentivos
Horario laboral
Contrato Indefinido
Jornada continua
Licenciados
Experiencia previa
Prácticas
Bien remunerado
Pagas extras
Cartas de recomendación
Jornada partida
Trabajo por cuenta propia
Contactar
A cargo de la empresa

TOMA NOTA

El **salario bruto anual** es el dinero que gana un trabajador al año por el trabajo realizado pero sin que se le practiquen las retenciones correspondientes.
El **salario neto anual** es el dinero que realmente percibe, una vez descontados los impuestos.

✓ *Busca información sobre el salario mínimo interprofesional en España y en tu país.*

18 Mira el siguiente gráfico ofrecido por la EPA y analiza los datos que se presentan.

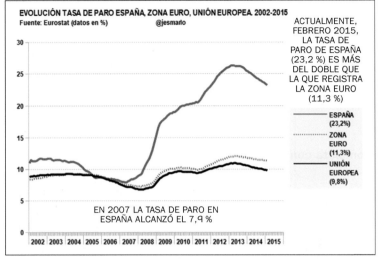

EVOLUCIÓN TASA DE PARO ESPAÑA, ZONA EURO, UNIÓN EUROPEA. 2002-2015
Fuente: Eurostat (datos en %)   @jesmarlo

ACTUALMENTE, FEBRERO 2015, LA TASA DE PARO DE ESPAÑA (23,2 %) ES MÁS DEL DOBLE QUE LA QUE REGISTRA LA ZONA EURO (11,3 %)

ESPAÑA (23,2%)
ZONA EURO (11,3%)
UNIÓN EUROPEA (9,8%)

EN 2007 LA TASA DE PARO EN ESPAÑA ALCANZÓ EL 7,9 %

¿ SABÍAS QUE... ?

La EPA, Encuesta de Población Activa, es un estudio estadístico, de periodicidad trimestral, que recoge los datos de la población en relación con el mercado laboral, esto es, ocupados, parados, activos e inactivos.

✓ *¿Qué diferencias hay entre un trabajador activo y uno ocupado? ¿Qué distingue a un trabajador parado de uno inactivo? Busca el significado de estos términos.*

► Si analizamos los datos por décadas, ¿qué década tiene los niveles más bajos de desempleo?

► ¿Se puede ver en qué años incidió más la crisis sobre el paro?

► ¿Qué diferencias hay entre el paro de España y la Unión Europea?

► Busca cómo son los datos en tu país y elabora una gráfica similar a la anterior.

19 ¿Qué sabes sobre la inmigración y la emigración? Explica el siguiente dibujo e investiga sobre los factores que las producen.

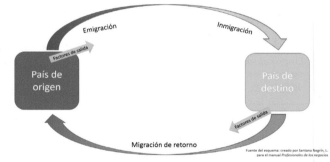

20 Escucha el audio sobre los fenómenos migratorios en España y toma nota de sus orígenes, causas, consecuencias y situación actual. Después observa la imagen y comenta con tus compañeros.

Pista 13

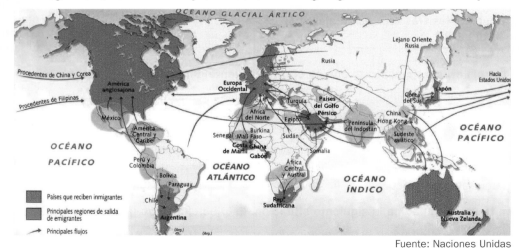

Fuente: Naciones Unidas

• Y tú, ¿cambiarías de residencia por trabajo? Escribe los motivos por los que vivirías en otro país.

21 Mira las siguientes imágenes. ¿En qué difieren los horarios españoles de los de nuestros vecinos? Coméntalo con tus compañeros.

12:00 h.

15:00 h.

18:30 h.

22 Lee el siguiente texto sobre los horarios españoles y realiza las tareas.

Spain is different

Hace tiempo que los españoles asumimos que *Spain is different*. Quizá por eso a muchos no les extrañe que nuestros horarios cotidianos, tanto en el ámbito personal como en el laboral, constituyan una singularidad en Europa. Ni siquiera nos asemejamos a otros países mediterráneos como Grecia e Italia. Tampoco a nuestros vecinos, Portugal y Francia.

Aunque no nos levantamos mucho más tarde, cuando ellos comen, aquí alguno todavía está tomando el café de media mañana, y cuando cenan, ni siquiera hemos salido de trabajar. Así que cuando muchos europeos se van a dormir, aquí aún se recogen los platos de la cena y se preparan los bocadillos del día siguiente para descansar luego un rato en el sofá. La diferencia estriba, fundamentalmente, en la larga jornada laboral.

Según datos de la Fundación Europea para la mejora de las condiciones de vida y de trabajo (Eurofound), «los españoles pasamos en el trabajo una media de 1.720 horas al año, 26 más que los ingleses, 41 más que los italianos, 58 más que los suecos, 65 más que los alemanes, 92 más que los daneses y 125 más que los franceses», explica Ignacio Buqueras, presidente de la Comisión Nacional para la Racionalización de los Horarios Españoles. Las cifras del European Industrial Relations Observatory (EIRO) indican que la jornada laboral en España es de 38,4 horas semanales, frente a las 37,7 de Alemania, 37,3 de Reino Unido o las 35,6 de Francia.

Para algunos, esta situación se puede explicar porque, aunque en España el día laboral es más largo, no es más productivo, debido a la mayor pausa para comer y a la duración de las reuniones. Sin embargo, esta distribución del tiempo viene del pluriempleo frecuente en la posguerra por la necesidad de obtener más ingresos, que consolidó una clara división del día en una primera jornada de mañana prolongada, trabajando hasta las dos, luego una pausa extensa, y por la tarde una segunda jornada. Y esa doble jornada acabó por consolidarse en un horario laboral «normal» de 9 a 19, con dos horas para comer, y una tendencia más que frecuente de alargarse hasta las 8 o las 9 de la noche.

Adaptado de La Vanguardia, Mayte Rius, 30/09/2011

- ¿Qué opinas del horario español? ¿Es muy diferente al de tu país?
- ¿Qué aspectos positivos tiene este horario?
- En tu opinión, ¿debería unificarse el horario español? ¿Por qué?
- Realiza una encuesta entre tus compañeros sobre sus hábitos horarios y analiza los resultados. Elabora una estadística con sus respuestas.
- Busca información sobre los horarios de otros tres países y compáralos con el tuyo.

✓ CHEQUEANDO...

> ¿Qué funciones tiene el departamento de Recursos Humanos?

> ¿Qué pasos tiene que seguir un candidato para formar parte de un proceso de selección?

> ¿Qué es el paro laboral? ¿Y la población activa?

> ¿Qué ventajas tiene ser funcionario? ¿Y ser emprendedor?

> ¿Qué nombre recibe la compensación económica que recibe un empleado por su trabajo?

> Cita tres aspectos a tener en cuenta para hacer una buena entrevista de trabajo.

> ¿A qué llamamos autoempleo?

> ¿Qué tipo de contratos laborales conoces? ¿Qué características tienen?

DOSSIER GRAMATICAL ☐ ☐ ☐

PRETÉRITO PERFECTO VS. INDEFINIDO

- Con el pretérito perfecto hablamos de experiencias que han sucedido en nuestra vida.

  He trabajado en una multinacional alemana.

  También sirve para hacer referencias a un pasado cercano.

  Esta mañana he redactado una carta de presentación.

- Con el indefinido marcamos una acción puntual sucedida en un tiempo acabado, sin relación con el presente.

  En 2004 obtuve una beca por mis buenas notas.

SER y ESTAR + ADJETIVO

- SER se utiliza con adjetivos para hablar de una cualidad inherente y ESTAR para cualidades temporales y para estados.

  El jefe es muy simpático pero hoy está muy antipático. Está nervioso por los presupuestos.

- Hay adjetivos que solo se usan con SER o con ESTAR.

  El director está preparado para dirigir.
  Este empleado es muy eficaz.

DAR CONSEJOS

- Aquí tienes algunas fórmulas:

  Yo que tú   Yo en tu lugar   Si yo fuera tú.
  Deberías   Tendrías que   Te aconsejaría
  Va muy bien...   Por qué no...   ¿Y si...

✋ MANOS A LA OBRA...

La empresa SANITATIS, dedicada a la decoración de baños, busca candidatos para cubrir una plaza de director de *Marketing*. En parejas, representad la entrevista de trabajo. Rellena la ficha libremente.

A

Has decidido presentarte a un proceso de selección en la empresa SANITATIS. Completa lo que puedes ofrecer a la empresa y lo que buscas en ella.

- Información sobre ti (Formación, experiencia, idiomas, características personales):
- BUSCAS:
  - Contenido del puesto de trabajo que buscas:
  - Horario: – Tipo de contrato:
  - Salario bruto: – Incentivos: ☐ Sí ☐ No
  - Posibilidad de ascenso: ☐ Sí ☐ No
  - Formación en la empresa: ☐ Sí ☐ No
  - Beneficios sociales: ☐ Sí ☐ No
  - Otros:
- Tipo de empresa que buscas para trabajar:

B

Eres el jefe de la empresa SANITATIS y estás llevando a cabo un proceso de selección para una plaza. Completa lo que ofrece tu empresa y lo que buscas en el candidato.

- Información sobre la empresa:
- OFRECES:
  - Contenido del puesto de trabajo que buscas:
  - Horario: – Tipo de contrato:
  - Salario bruto: – Incentivos: ☐ Sí ☐ No
  - Posibilidad de ascenso: ☐ Sí ☐ No
  - Formación en la empresa: ☐ Sí ☐ No
  - Beneficios sociales: ☐ Sí ☐ No
  - Otros:
- Tipo de persona que buscas para el puesto (formación, experiencia, idiomas, características personales):

AGENDA

- ✓ La imagen corporativa
- ✓ Comunicación escrita en la empresa
- ✓ Cartas, avisos y solicitudes
- ✓ Coger recados
- ✓ Comunicación oral en la empresa
- ✓ Gestualidad
- ✓ Redes sociales

¿ SABÍAS QUE...?

A pesar de que suelen confundirse, la **identidad corporativa** y la **imagen corporativa** responden a realidades diferentes. La primera puede definirse como identidad verbal (el nombre de la marca) más identidad visual (logotipo y códigos de conducta). Por su parte, la imagen corporativa es la concepción psicológica de la marca por parte del cliente, si le parece buena o mala, si tiene una correcta actitud ante el cliente según su criterio.

✓ *Explica estas diferencias tomando como ejemplo una marca conocida.*

INICIANDO...

¿Conoces estos logotipos?

¿Con qué marcas los identificas?

¿Qué te sugieren (lujo, tecnología, deportividad, etc.? Asócialos a alguna palabra.

¿Es suficiente una imagen para representar una marca?

Lee estas frases sobre la comunicación y coméntalas con tus compañeros.

> *Las empresas comunican emociones y trasmiten valores.*
>
> *Las empresas del futuro tocarán a nuestros corazones y a nuestras conciencias.*

- ¿Qué significan estas frases?
- ¿Estás de acuerdo con ellas?
- ¿Qué valores te transmiten?

🎧 Pista 14 | **1** | **¿Conoces las siguientes palabras? ¿Qué te sugieren? Escucha el audio y toma nota de por qué son importantes.**

eslogan

éxito

Responsabilidad social

Logotipo

nombre

valores

IMAGEN CORPORATIVA

Página web

brochure

percepción

filosofía

música

Redes sociales

2 **Lee el siguiente texto y responde a las preguntas.**

En portada

1976 — 1976-1998 — 1998-2000 — 2001-2007 — 2007 - ?

Apple o la manzana mordida

A
B
C **CONSTRUYE TU GRAMÁTICA**

Busca en el texto los tiempos de pasado. Subraya las formas verbales e intenta explicar su uso.

¿Alguna vez te has preguntado por qué el logotipo de Apple, firma tecnológica que hoy vale más de 600 millones de dólares, es una manzana mordida? Las teorías acerca de esta elección son muy diversas y la marca no ha revelado nunca la verdadera explicación, pero existen diferentes hipótesis. Hay quienes dicen que a su fundador le gustaban mucho las manzanas, otros señalan que es un guiño a la compañía Apple Records de Los Beatles y hay quienes aluden a razones más rebuscadas como que, alfabéticamente, Apple va antes que Atari, la anterior compañía en la que trabajaba su fundador. Tampoco puede olvidarse la proximidad fónica entre "bite" (mordisco) y "byte". Sea cual sea el motivo, es significativo que los niños de hoy en día aprendan la palabra "apple" (manzana) antes de estudiarla en sus clases de inglés.

Todo comenzó en 1976, año en que Steve Jobs fundó su empresa junto a Steve Wozniak. El logotipo que se empleó entonces representaba a Isaac Newton leyendo bajo un manzano y añadía la frase "Newton, una mente siempre viajando por los extraños mares del pensamiento… en soledad". Sin embargo, pronto se simplificó y se modernizó porque se daba muy poca importancia a la manzana. En 1977 apareció la nueva imagen de la compañía, una manzana mordida multicolor, que se mantuvo durante 20 años. Fue el propio Jobs quien decidió el colorido para "humanizar la compañía", pues en una primera propuesta este fruto era monocromático. Además, era también un guiño a su innovadora tecnología en color. El logo de la nueva era comenzó a emplearse a partir de 1998.

La imagen y silueta de la figura es hoy en día exactamente la misma que cuando se diseñó, sufriendo solo pequeñas matizaciones de color. Primero se empleó un azulado translúcido, que combinaba perfectamente con la línea de carcasas transparentes que añadieron al diseño de sus productos. Después se sucedieron la gama de los negros, grisáceos o blancos.

Sin duda la creación de la identidad corporativa de Apple marcó un antes y un después en la historia tecnológica pues logró aunar de manera exquisita diseño, funcionalidad y elegancia.

¿ **SABÍAS QUE…** ?

¿Cómo eligen las empresas sus logos?
- El 95 % utilizan solo uno o dos colores.
- El 41 % emplea únicamente texto.
- El 9 % no menciona el nombre de la empresa.
- El 33 % usa el color azul.
- El 29 % utiliza el color rojo.
- El 28 % negro o gris.
- El 13 % amarillo o dorado.

✓ *Piensa en tres logotipos de empresas para cada una de las estadísticas.*

- ¿Crees que la imagen corporativa de Apple es positiva? ¿Es el logo importante? ¿Es beneficioso que el logotipo de una empresa se modernice?
- ¿Cuál de los diferentes logotipos de Apple te gusta más? ¿Volverá a sufrir nuevos cambios? Diseña la nueva imagen para el 2050. Justifica tu elección.
- Inventa una nueva historia para justificar el logotipo de Apple.

5

3 ¿Conoces este tipo de escritos? Relaciona las palabras con su significado.

◯ Memorándum

◯ Circular

◯ Cartas comerciales

◯ Actas

◯ Informes

◯ Proyectos

a. Cartas de envío masivo con un contenido que interesa a un grupo numeroso de personas.

b. Memoria donde se detallan todos los medios y fechas para la realización de una idea.

c. Comunicado que se envía para dejar constancia escrita, normalmente con acuse de recibo, de mensajes importantes que implican informaciones, órdenes o peticiones.

d. Documento que contiene toda la información referente a un tema con el fin de darlo a conocer.

e. Narración escrita de lo que ha tratado una reunión (asistentes, deliberaciones, votaciones, acuerdos, conclusiones).

f. Correspondencia de las empresas con clientes, proveedores, bancos, instituciones, etc.

4 Esta es la estructura de una carta comercial. Relaciona cada número con la parte correspondiente.

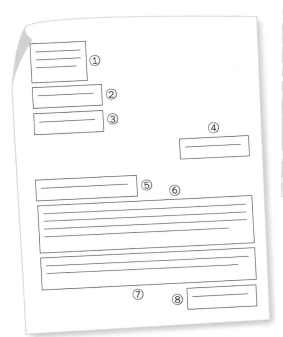

◯ **Encabezado:** comienzo formal.

◯ **Cuerpo de la carta:** desarrollo del tema.

◯ **Referencia:** clave numérica que permite su identificación y archivo.

◯ **Firma:** nombre y cargo del autor de la carta.

◯ **Membrete:** impreso en la parte superior en el que figuran el nombre, la razón social, dirección y teléfono del emisor.

◯ **Despedida:** despedida formal.

◯ **Datos del destinatario:** nombre, razón social, dirección, código postal y población.

◯ **Fecha**

✎ TOMA NOTA

La **carta comercial** es un documento empleado para la comunicación formal con fines comerciales. Existen varios tipos según sus objetivos: Compraventa, reclamación, oferta, solicitud de información, publicidad o notificaciones.

✓ *¿En qué consiste cada una de ellas? Busca información.*

5 Clasifica las siguientes expresiones según puedan utilizarse en el encabezado, cuerpo o despedida de la carta.

Atentamente

Estimado/a Sr./Sra. López

En relación con…

Querido Julián

A quien corresponda

Saludos

Esperando una respuesta afirmativa

Distinguido señor/a

Muy señor/a mío

Distinguido/a señor/a

Reciba un cordial saludo

Un abrazo

Les escribo para comunicarles

Gracias de antemano

Apreciado cliente

Se ruega contestación

A la espera de su respuesta, reciba un saludo

Por la presente me dirijo a usted

Expresando mi agradecimiento por anticipado, se despide…

Me complace ponerme en contacto con ustedes

Quedo a la espera de sus noticias…

Me dirijo a…

Sin otro particular, se despide

El motivo de este escrito no es otro sino…

BORRADOR ADJUNTO

Has hecho un pedido a una empresa y ha llegado fuera de plazo. Escribe una carta comercial de reclamación a dicha empresa y manifiesta tus quejas.

6 **Sustituye los conectores por otros con el mismo significado.**

AVISO

DE: La Dirección

A: Todo el Personal

(En primer lugar)_____, os queremos informar que ya han terminado las obras del aparcamiento de empleados. (No obstante) _____ no podrá utilizarse hasta el día 3 de enero.

(Por lo tanto) _____ disponemos de 20 plazas más, además de las 5 plazas para visitantes. (Sin embargo) _____, y para evitar problemas en la asignación de plazas, se va a realizar un sorteo el próximo miércoles a las 12 horas.

(Así pues) _____ todos aquellos que queráis participar, debéis enviar a la dirección un sobre cerrado un papel con la matricula de vuestro coche, (es decir) _____, con el número de la matrícula. Los que ya disponéis de plaza fija no podéis también participar en el sorteo (ya que) _____ todos debemos tener las mismas oportunidades y optar a una plaza.

(Por otra parte)_____ recordaros que las cestas de navidad ya están a vuestra disposición en la recepción. (Asimismo)_____ encontraréis otro pequeño obsequio por parte de la empresa.

(Para concluir) _____ queremos desear a todos unas felices fiestas.

La Dirección

En Burgos, a 21 de diciembre

CONECTORES DISCURSIVOS

- **Aditivos y de particularización:** *Además, también, asimismo, de hecho, en realidad, y, igualmente.*
- **Adversativos:** *Pero, sin embargo, no obstante, ahora bien.*
- **Causales:** *Porque, ya que, debido a, a causa de.*
- **Contraposición:** *Por un lado, por otro lado, por el contrario, por una parte, por otra parte.*
- **Concesivos:** *Aunque, con todo, a pesar de, aún así, con todo, de todas formas.*
- **Consecutivos:** *Así que, así pues, por consiguiente, por lo tanto, por tanto, entonces, de este modo.*
- **Explicativos:** *es decir, esto es, o sea, en otras palabras.*
- **Recapitulativos:** *En conclusión, en definitiva, en resumen, en una palabra, resumiendo, total.*
- **De ordenación:** *A continuación, antes de nada, en primer lugar, en segundo lugar, para empezar, primeramente, para terminar, finalmente, para concluir.*

7 **Observa la siguiente solicitud y responde a las preguntas.**

SOLICITUD

D. / Dña.: Rafael Olmedo, representante legal de *Olmedo e hijos,* con DNI/NIF 0XC45367, nacido en Madrid, el 2 de febrero de 1967 y con domicilio social en C/ Emporio, 17, 28013, Madrid, y número de teléfono 645578905

EXPONE:

Que dispone de un garaje/local, apto para el aparcamiento de vehículos y la carga y descarga de los materiales de su empresa, ubicado en la dirección previamente indicada y necesita que se le conceda la colocación de un Disco de Vado Permanente en la puerta del mismo, a fin de evitar el estacionamiento de vehículos que impidan la entrada y salida.

SOLICITA:

Le sea concedido VADO PERMANENTE, en los términos solicitados, previo pago de los derechos y tasas correspondientes, haciendo constar expresamente que es conocedor de que esta autorización supone el pago de una tasa anual, hasta tanto continúe vigente la concesión.

Con la mayor consideración

En Madrid, a 19 de marzo de 2018

Firma del solicitante

ILMO. ALCALDE DEL AYUNTAMIENTO DE MADRID

 TOMA NOTA

Se llaman **documentos o escritos oficiales** los que están dirigidos a la Administración del Estado, las Autonomías o las Autoridades locales. Pueden ser instancias, solicitudes o Recursos.

✓ *¿En qué consisten? Entra en la página web de alguna comunidad autónoma española y busca un modelo para cada una de ellas.*

- ¿Quién hace la solicitud? ¿A quién se dirige?
- ¿En qué consiste?
- ¿Qué información se recoge en el "expone"?
- ¿Te parece formal?
- Escribe una respuesta a la solicitud.
- Elabora tú una nueva solicitud dirigida a tu ayuntamiento solicitando un contenedor de reciclaje para tu empresa, una terraza para un bar o similar.

8 Lee el siguiente texto y realiza las actividades.

En Profundidad

Cómo hablar en público... y no morir en el intento

Los expertos aseguran que uno de los mayores miedos de los empresarios es hacer sus presentaciones en público, en cualquiera de sus modalidades, directas, diferidas, internas, externas, colectivas, individuales, ascendentes, descendentes u horizontales. Para evitar que los nervios te ganen la batalla, se recomienda una minuciosa preparación de tu intervención que permita que el discurso se adapte al objetivo. Para ello, es fundamental hacerse algunas cuestiones como ¿qué queremos comunicar?, ¿a quién va dirigido?, ¿cómo va a ser la puesta en escena? o ¿dónde va a tener lugar? Una vez tenidas en cuenta estas directrices, te ofrecemos algunos consejos que pueden ser de utilidad para salir airoso de cualquier intervención en público, y algunos trucos para no generar el aburrimiento.

Consejos
- Sé natural.
- Sonríe. La sonrisa es tu mejor arma.
- Demuestra tu amabilidad en tus contestaciones.
- Sé breve.
- Cuida tu imagen. Es tu carta de presentación.
- Controla la comunicación no verbal.

Algunos trucos
- Inicia el discurso con una llamada de interés, preguntas retóricas y haz una breve exposición general del tema a tratar.
- Durante el desarrollo, ten las ideas claras y exponlas de forma sencilla.
- Finaliza tu intervención con un resumen del contenido y, si puedes, acompáñalo de alguna frase ingeniosa o despedida cortés.

A evitar
- No improvises. Una buena preparación es fundamental.
- No aburras al público. Recuerda que los tres primeros minutos son fundamentales para captar su atención.
- No permitas que tu presentación sea un fracaso porque los medios audiovisuales no funcionen. Lleva siempre una segunda alternativa.
- No dejes de controlar el tiempo.

- ¿Has hecho alguna vez una presentación oral? ¿Crees que fue correcta?
- Según el texto, ¿qué tipos de comunicación oral existen? ¿En qué consisten?
- ¿Conoces el concepto "elevator pitch"? Busca en youtube algún ejemplo.
- Elabora una presentación de tres minutos en la que expliques tu trayectoria profesional y tus planes de futuro. No olvides tener en cuenta los consejos anteriores.

A B C CONSTRUYE TU GRAMÁTICA

IMPERATIVO
- ✓ **Prepara** tu discurso.
- ✓ **Ten** a mano tus notas.
- ✓ **No** te **pongas** nervioso.

9 El director de Recursos Humanos ha convocado a los jefes de servicios para darles instrucciones de los cambios que se van a realizar en los diferentes departamentos. Transforma el discurso directo a indirecto.

A B C CONSTRUYE TU GRAMÁTICA

ESTILO INDIRECTO
- ✓ "No salgo"
  Dice **que** no sale
- ✓ "No iré"
  Anuncia **que** no irá

"Quiero informarles de los cambios que se van a producir a partir del próximo mes en cuanto a los procedimientos para solicitar periodos de vacaciones, días de asuntos propios o cualquier otra solicitud. Desde el día 1, todas estas peticiones deberán solicitarse a través de la intranet de la empresa y tendrán que dirigirse al jefe de servicio del área. Este tendrá que validarlas."

→ El Director dice que quiere informarnos de los cambios...

Pista 15

- **Tu compañero de trabajo, Luis Gómez, está enfermo y debes trasmitirle las llamadas de teléfono que has recibido en su ausencia. Escucha los mensajes y escribe la información en tu cuaderno.**

5

10 Elige la respuesta que más se identifique contigo y descubre tu forma de aprendizaje.

La encuesta

¿ SABÍAS QUE... ?

La Programación Neurolingüística o PNL surge gracias a las investigaciones de Bandler y Grinder. El nombre hace referencia a tres aspectos básicos de la experiencia humana: el sistema nervioso, el lenguaje y la programación mental. Así pues, la PNL se ocupa de la influencia del lenguaje sobre la programación mental y las demás funciones de nuestro sistema nervioso. Según los sentidos que predominan en el aprendizaje, las personas pueden clasificarse en auditivas, kinestésicas y visuales. Aunque sus objetivos iniciales eran terapéuticos y han sido muy discutidos, se emplea para la comunicación interpersonal y la persuasión, la capacitación en gestión, trabajo en equipo, *coaching,* oratoria o negociación, habilidades que se dan en el mundo de la empresa.

✓ *¿Qué aplicaciones puede tener la PNL en el ámbito profesional?*

¿Eres auditivo, visual o kinestésico?

1. Cuando cocino un plato nuevo, me gusta…
  a) consultar una receta escrita.
  b) que un amigo me explique los pasos.
  c) seguir mi propia intuición.

2. Durante mi tiempo libre, me interesa…
  a) ir a museos y galerías.
  b) escuchar música y hablar con mis amigos.
  c) practicar deporte y hacer diversas actividades.

3. Cuando estoy eligiendo un plan, prefiero…
  a) leer información en internet sobre las posibilidades.
  b) que algún amigo me recomiende algo.
  c) imaginarme a mí mismo haciendo ese plan.

4. Si haces un viaje…
  a) Visito nuevos lugares y ambientes.
  b) Me encanta conocer gente y hacer nuevos amigos.
  c) Me interesa que me enseñen nuevas costumbres.

5. Realmente me encanta…
  a) Ver a mis amigos.
  b) Hablar por teléfono.
  c) Que mis amigos me avisen para hacer algo divertido.

6. Cuando me pongo a estudiar o trabajar…
  a) Me molesta que las cosas no estén en su sitio.
  b) Puedo atender plenamente a lo que hago.
  c) Siento que es un buen momento para hacer eso

7. De una persona, recuerdo mejor…
  a) el rostro.
  b) El nombre.
  c) Las cosas que ha hecho.

8. Cuando tengo una discusión con alguien…
  a) Me preocupa el punto de vista de la otra persona.
  b) Presto atención a cómo habla la otra persona.
  c) Me inquieta la mala energía de la otra persona.

9. Cuando escucho música, me molesta…
  a) no ver a los miembros del grupo.
  b) no escuchar bien los ritmos y las letras.
  c) que no haya sitio suficiente para bailar.

10. En general…
  a) Me gusta observar a los demás.
  b) Me hablo en alto a mí mismo.
  c) Me cuesta estarse quieto más de diez minutos.

Mayoría de respuestas a). Eres visual. Eres una persona observadora e inquieta. Captas el detalle y otras muchas informaciones que los demás pasan por alto. Sueles visualizar imágenes en tu mente para poder recordarlas y haces esquemas de las cosas importantes.

Mayoría de respuestas b). Eres auditivo/a. ¿Expresas tus pensamientos en voz alta? ¿Prefieres que te expliquen las cosas? Eres una persona relajada, comunicativa, con facilidad de palabra y con facilidad para expresarse.

Mayoría de respuestas c). Eres una persona kinestésica. Prefieres experimentar las cosas a que te las cuenten. Eres tranquilo pero te gustan las emociones. Eres espontáneo y muy expresivo Buscas el contacto físico y no te interesan los detalles.

- ¿Estás de acuerdo con los resultados de tu test?
- ¿Crees que ser de una manera u otra afecta en el trabajo? ¿Y a la hora de aprender una lengua extranjera? ¿En qué?
- Piensa en otras situaciones y los posibles comportamientos de las personas visuales, auditivas y kinestésicas.

A B C CONSTRUYE TU GRAMÁTICA

VERBOS DE SENTIMIENTO Y EMOCIÓN

✓ **Me gusta** *aprender cosas nuevas en el trabajo.*

✓ **Me encanta** *que me enseñen nuevos conceptos.*

✓ **Me molestan** *los ruidos en la oficina.*

11 **Mira las siguientes actitudes. ¿Son positivas (✓) o negativas (X) en la negociación? Decididlo en parejas y justificad vuestra respuesta.**

☐ Cruzar las piernas.
☐ Manipular objetos mientras se escucha.
☐ Expresión facial relajada.
☐ Asentir moderadamente.
☐ Escuchar activamente.
☐ Mirar a los ojos de forma insistente.
☐ Comer chicle para calmar los nervios.
☐ Poner las manos encima de la mesa.

☐ Aceptar la invitación a ponerse cómodo.
☐ Tomar notas.
☐ Mover las manos.
☐ Cruzar los brazos.
☐ Hacer otra tarea.
☐ Sonreír.
☐ Ponerse muy cerca del interlocutor.
☐ Mirar al reloj.

12 **Fíjate en las siguientes imágenes con las expresiones y relaciónalos con su significado.**

1.

2.

3.

4.

5.

6.

a. Hablar apuntando con el dedo

b. Entrecruzar los dedos

c. Sudar al responder a preguntas

d. Manos juntas al hablar

e. Señalar con el dedo con la palma hacia fuera

f. Sentarse cómodamente

I. Señala que te están prestando atención

II. Indica nerviosismo

III. Denota frustración y contrariedad

VI. Es un gesto de agresión y desdén

V. Proyecta conciliación y acuerdo

VI. Es síntoma de arrogancia y prepotencia

CURIOSIDADES

En la comunicación existen diferentes estilos de acuerdo a la actitud que adopta el hablante frente a su interlocutor. Así, hablamos de estilo agresivo cuando se trata de una persona que monopoliza la conversación; estilo pasivo, el que deja hacer a los demás; o estilo asertivo, efectivo y considerado con los demás.

✓ *¿Puedes clasificar las siguientes características en alguno de estos estilos?*
- Cerrado en sus decisiones
- Es considerado con los demás
- No mira a los ojos
- No escucha
- Interrumpe
- Tono sarcástico
- Sabe escuchar
- Hace observaciones pero no critica
- No toma decisiones
- Voz alta
- No opina

✓ *Piensa en un famoso que se corresponda con cada tipo de estilo.*

A DEBATE

¿Crees que en la comunicación lo que se dice es más importante que cómo se dice o viceversa?

¿Qué asuntos deben solucionarse de forma oral y cuáles de forma escrita?

¿Debemos utilizar el correo electrónico del trabajo para asuntos personales?

¿Es internet un buen foro para cuestiones profesionales?

¿Eres capaz de controlar tus movimientos en una reunión de trabajo?

13 **Mira estos iconos y contesta a las preguntas.**

- ¿Reconoces los iconos de estas redes sociales?
- ¿Sabes cuál es la más popular de todas?
- ¿En qué consisten?
- ¿Eres usuario de alguna de ellas?
- ¿Cuál es la más popular en tu país?
- ¿Te parecen útiles en el mundo de la empresa?
- ¿Qué ventajas tienen? ¿Y qué inconvenientes?

14 **¿Sabes cuál es la mejor red para tu negocio? Mira el siguiente esquema y coméntalo. Escribe algunas de las utilidades que pueden tener cada una de estas redes en la empresa.**

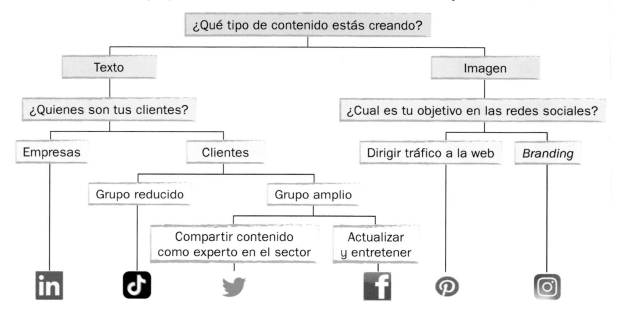

15 **Observa el perfil que la empresa española El Corte Inglés presenta en Facebook.**

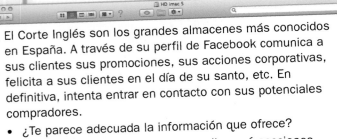

El Corte Inglés son los grandes almacenes más conocidos en España. A través de su perfil de Facebook comunica a sus clientes sus promociones, sus acciones corporativas, felicita a sus clientes en el día de su santo, etc. En definitiva, intenta entrar en contacto con sus potenciales compradores.

- ¿Te parece adecuada la información que ofrece?
- Visita su perfil de Facebook y analiza qué secciones incluye.
- ¿Cómo son los comentarios? ¿Quién los hace?
- Escribe tres consejos para mejorar su imagen.
- Elige otra empresa fuerte en el sector y compara su perfil en Facebook con el de El Corte Inglés.

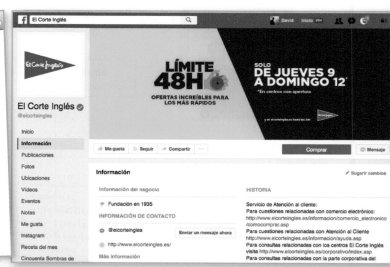

16 **¿Te parecen útiles las redes sociales para realizar estas tareas? Valora con tu pareja del 1 al 5.**

☐ Potenciar la imagen de una marca
☐ Buscar empleo
☐ Atención al cliente
☐ Estudio de la competencia
☐ Dar imagen de modernidad
☐ Organizar eventos en línea
☐ Buscar proveedores

☐ Mejorar y ampliar los contactos de la organización
☐ Estar presente donde están tus clientes potenciales
☐ Analizar la conveniencia o no de realizar campañas de publicidad
☐ Darse a conocer por un bajo coste
☐ Completar el plan de comunicación de una empresa
☐ Aprovechar las ventajas del *marketing* de contenidos
☐ Reforzar las campañas realizadas a través de otros medios

17 **Lee el siguiente texto y comenta la importancia de Linkedin como trampolín profesional.**

¿Por qué? ¿Cómo? ¿Para qué?

"Más que un mejor empleo o conocer vacantes, Linkedin podría ser la mejor carta de presentación personal frente a empresas, reclutadoras o profesionales con intereses similares". "Los sitios de ofertas de empleo por internet se quedaron como los anuncios de periódicos pero digitales, es decir, nunca evolucionaron y aplicaba únicamente la gente que veía el anuncio", dijo el director de Soluciones de Talento de LinkedIn América Latina, Milton Beck.

Frente a esta perspectiva, quienes busquen realmente sacar provecho de la red tienen que maximizar la visibilidad, alcance e impacto de su perfil. Beck explicó que un buen perfil, no solo permite construir mejores redes, sino que también abre la posibilidad de que reclutadores de todo el mundo lo encuentren para ofrecer oportunidades de empleo "que quizá no estabas buscando pero pueden ser atractivas".

El ejecutivo de la red social da tres consejos para aumentar la visibilidad a tu perfil.

1. Aprovecha lo global: No solo aumentes tus contactos con amigos y colegas. Al ser una red social con alcance internacional, LinkedIn te da la oportunidad de agregar personalidades de carácter global. Define cuáles son tus intereses y la misma plataforma te recomendará personas relevantes con perfiles similares.

2. No tengas miedo de compartir: Tener el perfil completo es solo el 50 % del trabajo. Al igual que redes como Facebook o Twitter, LinkedIn requiere de cuidado y alimentación constante. Comparte artículos, inicia discusiones (evita temas polémicos), haz preguntas y recomienda libros, textos o estudios. Así, tu perfil tendrá más visibilidad y aumentarás los miembros de tu red profesional.

3. Más allá del texto: LinkedIn no es un currículum, por lo que el limitarse al texto serio y largo podría afectar la visibilidad de tu perfil frente a otros usuarios. Aprovecha la opción de cargar contenido multimedia y sube fotos, videos, imágenes, presentaciones y documentos. Para las personas que están en desarrollo o espacios creativos es mejor subir su propio trabajo que hablar nada más de lo que han logrado de su trabajo.

Adaptado de Expansión México.

- **¿Qué ventajas y qué inconvenientes ves en una red social como LinkedIn?**
- **¿Crees que las empresas miran las redes sociales de sus candidatos o empleados? ¿Deberían hacerlo? ¿Por qué?**
- **Revisa tu perfil de LinkedIn atendiendo a las tres reglas. Si no tienes, puedes crearte uno o mejorar el perfil de otra persona.**

¿ **SABÍAS QUE...** ?

Con las nuevas tecnologías han surgido nuevas formas de comunicarse que deben seguir un estilo propio. La **netetiqueta** o **etiqueta en la red** marca así ciertas pautas que han de seguirse para ser eficaces. Así por ejemplo, en el correo electrónico es necesario identificarse, escribir el asunto, mantener la estructura de la carta, ser breve, no utilizar mayúsculas pues equivale a gritar, evitar los archivos de mucho peso o mandar mensajes de respuesta automática en periodos de ausencia. Por su parte, en los foros se recomienda saludar y despedirse, ser respetuoso, amoldarse a las normas del foro y no provocar discusiones.

✓ *¿Cómo crees que es la etiqueta para las redes sociales? ¿Qué cosas podemos decir y qué cosas no?*

TOMA NOTA

Communinty manager es la persona que gestiona la imagen de una empresa en las redes sociales (blog, Ttwitter, Facebook), potenciando las opiniones positivas y comunicando permanentemente los valores de la empresa a sus clientes potenciales y a la sociedad en general.

✓ *Señala las ventajas de contar con un o una* community manager *en la empresa.*

✓ CHEQUEANDO...

Define "imagen corporativa".

¿Qué tipos de comunicación existen? Explícalos.

¿Cómo se llaman los documentos para comunicarse con la administración?

¿Qué tipo de escritos se utilizan en la empresa?

¿Qué es la "comunicación no verbal"?

El profesional que trabaja para "dar una buena imagen" de la empresa en la red se llama...

¿Cómo deben ser las comunicaciones orales?

¿Por qué es tan importante un buen logo? Da tres razones.

DOSSIER GRAMATICAL ☐ ☐ ☐

IMPERFECTO VS INDEFINIDO

- Con el pretérito indefinido marcamos una acción puntual que sucede en el pasado.

  En 1998 empezó a trabajar en la empresa.

- El pretérito imperfecto describe situaciones. Sirve de contexto para la acción principal.

  La multinacional, que tenía sede en Londres, cerró el año pasado.

ESTILO INDIRECTO

- Con estilo indirecto, reproducimos el contenido de un mensaje con nuestras propias palabras. Para ello se introduce la conjunción "que".

  *Dice **que** tiene muchos problemas en su trabajo.*

VERBOS DE SENTIMIENTO Y EMOCIÓN

- Estos verbos pueden funcionar con un infinitivo, un nombre o un verbo conjugado en subjuntivo.

  Me encanta mi trabajo.
  Me gusta que me ayudes con las listas de ventas.
  Me molesta tener mucho trabajo.

IMPERATIVO

- El modo imperativo sirve para dar órdenes, instrucciones y consejos.

  Ramírez, tráigame el informe.
  Por favor, espere aquí. El director le atenderá en unos minutos.
  Para realizar un buen trabajo, concéntrate en lo que haces.

✋ MANOS A LA OBRA...

Tu socio y tú habéis decidido poner en marcha un nuevo concepto de negocio y discutís algunos detalles sobre la imagen corporativa y difusión. Negociad algunos aspectos.

A

Has creado junto con un socio un nuevo negocio. Estas son tus ideas para el proyecto.

- Quieres un logo austero, sencillo y serio.
- Para ti, el logo no debe llevar ningún mensaje.
- Das mucha importancia a la imagen corporativa.
- Tus valores son el trabajo y la disciplina.
- Piensas que hay que dar difusión a la empresa solo a través de una red social.
- Quieres contratar a una persona para que lleve estos asuntos de las redes sociales.

B

Has creado junto con un socio un nuevo negocio. Estas son tus ideas para el proyecto.

- Te apetece un logo llamativo, visual y colorista.
- Es logo debe ir acompañado de un mensaje.
- Te interesa poco la imagen corporativa.
- Defiendes la modernidad y la versatilidad.
- Eres partidario de crear perfiles en todas las redes sociales.
- Eres partidario de explotar todas las redes sociales.
- Lo mejor es que vosotros mismos actualicéis los perfiles.

6 El comercio

AGENDA

✓ Formas de comercio
✓ Globalización
✓ Formas de pago
✓ Exportación e importación
✓ Tipos de cliente
✓ Atención al cliente
✓ Mercados y mercadillos

¿ SABÍAS QUE... ?

La **globalización** consiste en la integración de las diversas sociedades en un único mercado capitalista mundial. Aunque también afecta al ámbito político, social, cultural o tecnológico, desde el punto de vista económico favorece la circulación de bienes y productos o el aumento de inversiones extranjeras y relaciones entre países. El impacto de la globalización en las naciones depende del nivel de desarrollo que cada una de ellas posee.

✓ ¿Crees que la globalización beneficia a todas las naciones?

INICIANDO...

¿Qué relación tienen estas imágenes?

¿Qué tipo de comercio te sugieren?

¿A qué clase de clientes van dirigidas?

¿Qué tipo de comercio es más frecuente?

Aquí tienes la definición que la Real Academia Española recoge en su diccionario para la palabra comercio:

Del italiano: *commercium*

1. Compraventa o intercambio de bienes o servicios.
2. Conjunto de actividades centradas en el comercio.
3. Tienda, almacén o establecimientos de comercio.
4. Conjunto o clase de los comerciantes.
   • ¿A qué hace referencia cada una de las acepciones?

El comercio

Pista 16

1 ¿Qué sabes del comercio? Ordena los acontecimientos por orden cronológico. Después escucha el audio y comprueba tus respuestas.

1	2	3	4	5	6	7	8
Prehistoria 9000 a. C- 4000 a. C	Edad Antigua 3000 a. C- Siglo V	Edad Media Siglo V- Siglo XV	Era de los descubrimientos Siglo XV	Era Moderna Siglo XVII	Revolución Industrial Siglo XIX	Siglo XX	Siglo XXI

a. Se crea la World Wide Web.

b. Tres universidades americanas configuran ARPANET, una red que serviría como preludio de internet.

c. Empiezan a circular los primeros billetes en Mongolia.

d. Se promueven importantes mejoras en el transporte y, consecuentemente, en el comercio.

e. El comercio europeo se fortalece gracias a los nuevos flujos de oro que provienen de América.

f. Se perciben los primeros intentos de globalización.

g. Comienzan los pagos con monedas de aleación de oro y plata y cheques.

h. Se emplean metales preciosos como forma de pago.

i. Se desarrollan las primeras rutas transcontinentales.

j. La empresa Diners Club presenta su primera tarjeta de crédito.

k. Las civilizaciones practican el trueque.

l. Surge la banca y las primeras familias importantes de banqueros.

m. La compañía General Petroleum ofrece a sus trabajadores y clientes habituales una tarjeta de plástico que servía para dar crédito.

n. Se consolidan las travesías transatlánticas gracias también a la aparición de los barcos de vapor.

o. Se impulsa el transporte fluvial y la comunicación por la nueva red de carreteras.

p. Se extienden las compras en línea y transferencias electrónicas.

q. Se establecen los grandes bancos.

- ¿Cómo crees que evolucionará el comercio? ¿Cómo será dentro de unos años?

2 Lee las siguientes palabras. ¿Qué tienen en común? Escribe una definición de cada una de ella.

Contra reembolso	Transferencia bancaria	Cheque	Financiación	Tarjeta

Trueque	Pagaré	Paypal	Efectivo	Pago aplazado	Cargo en cuenta

Pista 17

- Inventa una situación en la que utilizarías cada uno de estos medios de pago.
- Escucha los diálogos y señala a cuál de las palabras anteriores se hace referencia.

3 Completa las frases con los verbos del cuadro utilizando los verbos en los tiempos de pasado.

Ir	Crear	Dar	Comenzar	Servir	Transportar	Pagar	Aparecer

ABC CONSTRUYE TU GRAMÁTICA

PRETÉRITO PLUSCUAMPERFECTO

Las monedas ya se habían utilizado para el pago cuando aparecieron los billetes.

- Internet _____ a funcionar en 1990 pero antes ARPANET ya_____ una red entre tres universidades.
- Cuando _____ las primeras monedas, el comercio ya _____ sus primeros pasos.
- Durante la Revolución industrial, los transportes _____ como vehículo de comercio.
- Los trabajadores de la General Petroleum _____ habitualmente con sus tarjetas.
- Las familias de banqueros _____ préstamos a los comerciantes.
- Antes del desarrollo del transporte fluvial, ya se _____ mercancías por mar.
- Ahora compramos por internet, pero antes la gente _____ a los comercios tradicionales.

4 Completa las frases con las palabras del recuadro.

- • Grandes superficies
- • Comercio
- • Distribución
- • Pequeño comercio
- • Minorista
- • Mayorista
- • Comercio exterior
- • Consumidor final
- • Comercio interno

- • El _____ es una práctica de ámbito económico que consiste en comprar, vender, o intercambiar productos, materiales, servicios, entre otros, para obtener beneficios económicos.
- • Se llama _____ a la actividad económica que se realiza fuera de los límites de un país.
- • El comercio que se realiza dentro de un mismo país se denomina _____ .
- • El comercio _____ forma parte de la cadena de _____ y se caracteriza por adquirir productos a fabricantes y otros mayoristas y venderlos a otros mayoristas, o distribuidores, pero no al _____ . El comerciante que vende en las tiendas se llama _____.
- • El comprador se puede dirigir a por sus productos a las tiendas especializadas o _____, o ir directamente a los centros comerciales y _____, donde puede adquirir en el mismo lugar gran cantidad de productos y servicios diferentes.

5 Mira con atención las siguientes gráficas y contesta las preguntas.

QUÉ EXPORTÓ ESPAÑA
Marzo de 2015, 15 principales subsectores

Millones de euros

Subsector	Millones de euros
Automóviles y motos	2.850
Frutas y legumbres	1.622
Textiles y confección	1.303
Componentes del automóvil	1.062
Medicamentos	984
Aparatos eléctricos	940
Aeronaves	877
Petróleo y derivados	850
Plásticos	841
Hierro y acero	768
Maquinaria industrial	735
Otras mercancías	708
Otros bienes de equipos	667
Productos cárnicos	550
Metales no ferrosos	502

Fuente: Ministerio de Economía

PRINCIPALES PRODUCTOS EXPORTADOS A PAÍSES TERCEROS – PRINCIPALES COMPETIDORES EN LA UE

CATEGORÍA PRODUCTOS	PRODUCTOS MÁS REPRESENTATIVOS	POSICIÓN	1º	2º	3º	4º
PREPARADOS LEGUMBRES Y HORTALIZAS 13,5%	ACEITUNAS	LÍDER				
	OTRAS HORTALIZAS PREPARADAS	LÍDER				
BEBIDAS	OTROS VINOS DE UVAS FRESCAS RECIPIENTE ≤ 2 l	3º				
	ESPUMOSOS DE UVAS FRESCAS	3º				
13,0%	AGUARDIENTE DE VINO, ORUJO UVAS	2º				
FRUTAS	MANDARINAS, CLEMENTINAS	LÍDER				
	NARANJAS	LÍDER				
12,0%	LIMONES, LIMAS	LÍDER				

- • ¿Cuáles son los 5 sectores que más exportaciones producen?
- • ¿Qué productos representativos de estos sectores conoces?
- • ¿En qué productos España es líder en el mercado internacional?
- • Buscad información y exponed a la clase mediante gráficas qué productos principales exporta vuestro país y en cuáles de ellos es líder en el mercado. Presentad a la clase las ventajas de estos productos frente a la competencia.

6 Con tu pareja, mirad las siguientes imágenes y contestad a las preguntas.

- • ¿Cuántas de estas marcas conocéis? ¿De dónde son?
- • ¿Cuáles están presentes en tu país? ¿Consumes sus productos?
- • En pareja, elegid una de las marcas y describid a qué sector pertenece. Después haced un análisis de cuántos años lleva implantada, cuál es su mercado, las razones por las que es reconocida (precio, calidad, prestigio, etc.) y exponedlo al resto de la clase.

¿ SABÍAS QUE... ?

La **franquicia** es un contrato por el que una empresa (el franquiciador), cede a otra (franquiciado), a cambio de una contraprestación (canon), el derecho a la explotación de un conjunto de derechos de propiedad industrial o intelectual, marcas, nombres comerciales, rótulos, modelos, derechos de autor, etc, para la reventa de productos o la prestación de servicios.

✓ *¿Cuáles son las ventajas y las desventajas de las franquicias?*

6 | El comercio

7 Lee la información sobre los siguientes servicios.

1. Recogemos en el propio domicilio la ropa sucia y la entregamos limpia y planchada todas las semanas.

2. ¿Tiene que comprar ropa para un evento y no tiene tiempo? Con nuestra aplicación, nos envía una foto con sus medidas, indicándonos su presupuesto y sus preferencias, y nosotros le presentaremos una selección de 25 prendas que se mostrarán sobre su imagen. Así podrá hacer clic en el botón Elegir desde su móvil. En 24 horas recibirá la mercancía en su casa.

3. Mantenemos y reparamos todos los equipos informáticos, tabletas y móviles de la familia. Nos encargamos de preservar sus contenidos, información, contactos, fotografías, etc.

4. Reciba en su casa a primera hora la comida y la cena, listas para consumir en su lugar de trabajo o donde quiera. Mediante una aplicación, desde su móvil, elige el menú y nosotros nos ocupamos de todo.

EXPRESAR OPINIÓN
Creo que es muy práctico.
Opino que es una buena idea.
Pienso que es una buena solución.
Me parece genial.
No creo que sea útil.
No opino que funcione bien.

MOSTRAR ACUERDO
Estoy de acuerdo en eso.
Pienso igual que tú.

MOSTRAR DESACUERDO
No estoy de acuerdo contigo.
Estás muy equivocado.

- ¿Para qué tipo de personas y de qué edad te parecen apropiados?
- Indica el precio en euros que pagarías por cada uno de estos servicios.
- Manifiesta tu opinión sobre ellos.
- En grupos de tres, imaginad un servicio como los anteriores y presentadlo a vuestros compañeros. Ellos opinarán sobre vuestra propuesta. Realizad una votación para determinar cuál es la mejor de todas.

8 Matilde Ruiz tiene una tienda de pequeños electrodomésticos y quiere mostrar a sus clientes que su empresa tiene una gestión comercial de alta calidad. Por este motivo, contacta con Javier Alonso, consultor.

MR: Buenos días, Javier. Tengo una tienda de pequeños electrodomésticos y lo que nos distingue de otros negocios similares es que nuestros productos son muy nuevos en el mercado y a veces de marcas poco conocidas en nuestro país. Por este motivo, tengo mucho interés en que nuestros clientes sepan que, aunque son productos nuevos y poco conocidos, son de altísima calidad.

JA: Hola Matilde. Por lo que me dices, lo que tú necesitas es generar **confianza** en tus clientes.

MR: Efectivamente, Javier. Necesito que mis clientes confíen en que los productos que yo vendo han pasado todos los controles obligatorios de la Unión Europea en calidad. Tienen **certificados ISO** y **EMAS** que acreditan que cumplen con la **normativa medioambiental.** Yo quiero que mis clientes sepan que en mi tienda no somos solo buenos, somos excelentes. Quiero que mi negocio se asocie a **garantía de calidad.**

JA: Las empresas se deben caracterizar tanto por la calidad de sus productos como por el nivel en la calidad de los servicios que dan a los clientes. La calidad de los servicios depende del producto y de las actitudes de todo el personal de la empresa.

MR: Las personas que trabajan en mi tienda son excelentes profesionales, que conocen muy bien los productos y tienen una **actitud muy comercial**.

JA: Eso está muy bien. Las empresas deben establecer un sistema de **indicadores** que les permita medir su **nivel de calidad** desde las diferentes áreas.

MR: Esa es precisamente mi pregunta, ¿cómo se mide esa calidad? Y, sobre todo, ¿cómo puedo **certificar** mi calidad?

JA: Hay muchas maneras de medir la calidad: por ejemplo, mediante **encuestas de satisfacción** de los clientes, controlando y **gestionando las quejas**. Además es muy importante que obtengas certificados de calidad. Hay empresas que están especializadas en certificar la calidad. En España, **Aenor** está muy extendida.

MR: Muchas gracias, Javier. Creo que voy a tener en cuenta tus consejos.

- ¿Qué te sugieren las palabras en negrita?
- Escribe 3 aspectos de un comercio que te indican calidad.
- ¿Qué sabes de las certificaciones de calidad? ¿Conoces alguna más, aparte de las que se mencionan en el texto? ¿Cuáles son las más habituales en tu país?
- Piensa en una experiencia negativa y otra positiva en un comercio y compártelas con tus compañeros.

9 **¿Estás de acuerdo con las siguientes afirmaciones? Discute con tu pareja si son verdaderas (V) o falsas (F).**

	V	F
a. El cliente siempre tiene la razón.	○	○
b. El comercial debe halagar al cliente continuamente.	○	○
c. Tener un departamento de gestión de incidencias indica que una empresa tiene problemas con sus productos.	○	○
d. El comercial debe conocer y explicar toda la información sobre el producto.	○	○
e. El cliente debe aspirar a recibir un trato correcto y educado.	○	○
f. El comercial no tiene que aportar el libro de reclamaciones si lo pide el cliente.	○	○
g. El cliente no tiene ningún derecho si un producto no es lo que esperaba.	○	○
h. Las garantías de los productos no tienen ningún valor.	○	○
i. El comercial debe tener una actitud orientada a solucionar las demandas del cliente.	○	○

10 **Analiza los datos que ofrece el siguiente artículo y realiza las actividades.**

En cifras

¿En qué puedo ayudarle?

Si tenemos en cuenta que el 70 % de la experiencia de compra de un cliente se basa en la forma en la que fue tratado, más allá del producto y del precio, escuchar al cliente, atender sus reclamaciones y solventar sus problemas se convierte así en un requisito fundamental para tener éxito en nuestro negocio y conseguir la excelencia. Toma nota de los siguientes datos sobre los consumidores españoles.

Cuesta doce experiencias positivas compensar una sola experiencia negativa.

El 55 % de los consumidores prefieren pagar más si así garantizan un buen servicio postventa.

Si el servicio de atención al cliente logra resolver los problemas de un cliente, hay un 70 % de posibilidades de que esa persona vuelva a requerir sus servicios.

La mitad de las personas prefieren recurrir a los medios tradicionales como el teléfono o el *email* para recibir atención mientras que la otra mitad acude a medios alternativos.

Estos son los servicios que más consultas reciben:

- Hipermercados-Supermercados 37,3 %
- Telefonía 28 %
- Electrónica 15,2 %
- Hogar y bricolaje 12,3 %
- Otros 5,1 %

Entre las causas más frecuentes de contacto:
- Información de un producto (30,4 %)
- Quejas generales (27,3 %)
- Información sobre promociones (19,6 %)
- Queja sobre una promoción (12,7 %)
- Quejas por la atención recibida (6,6 %)
- Información sobre una tienda (3,4 %)

El 71 % de las empresas ofrecen asistencia a través de las redes sociales.
El 60 % de las grandes empresas solo brinda soporte alternativo en Facebook.

Los españoles valoran de forma general el servicio recibido con una calificación de 6,7/10.

El 45% de los consumidores ha contactado con el servicio de atención al cliente en el último año.

- ¿Has utilizado alguna vez el servicio de atención al cliente? ¿Cuál fue el motivo? ¿Cómo contactaste con la empresa? ¿Resolvieron tu problema? Comparte tu experiencia con tus compañeros.

- Enumera los medios de contacto con una empresa y señala las ventajas e inconvenientes de cada uno. ¿Cuál prefieres?

- ¿Cómo crees que se puede mejorar el sistema de atención al cliente? ¿Cómo debe actuar la persona que nos atiende? ¿Qué cualidades debe tener?

- Haz una encuesta entre tus compañeros preguntando por su relación con los servicios de atención. Después, elabora un informe con las estadísticas de la clase.

Pista 18

11 Estos clientes han tenido algunos problemas y han presentado sus reclamaciones a diferentes empresas. Escucha sus testimonios y completa la información del cuadro.

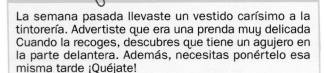

Forma de contacto utilizada		
Empresa con la que contacta		
Motivo		
¿Solucionan su problema?		
¿Está satisfecho con la solución?		

RECLAMAR
- Quiero presentar una queja.
- No puede ser este comportamiento.
- Es inadmisible que actúen así.
- No lo veo normal.
- No me parece nada bien.
- Me indigna que no tengan en cuenta al cliente.
- ¡Estoy harto!
- ¡Es una vergüenza!
- Quiero el libro de reclamaciones.
- No estoy satisfecho con el servicio.

12 Imagina que has recibido un mal servicio y quieres quejarte. Con tu pareja, escribe el diálogo para las siguientes situaciones entre el consumidor y el responsable e intentad buscar soluciones.

La semana pasada llevaste un vestido carísimo a la tintorería. Advertiste que era una prenda muy delicada. Cuando la recoges, descubres que tiene un agujero en la parte delantera. Además, necesitas ponértelo esa misma tarde ¡Quéjate!

Has enviado por correo un paquete con un contenido delicado. Preguntaste a la empresa de transportes acerca del protocolo a la hora de enviar este tipo de paquetes y has seguido todas las indicaciones. Sin embargo, el contenido del paquete ha llegado dañado a su destinatario. Expresa tus quejas.

13 Lee la siguiente información sobre los tipos de cliente y el trato que debería dársele a cada uno. Contesta las preguntas.

SERIO
Características: reservado, cauto, calculador.
¿Cómo tratarle?
- Con objetividad
- Con argumentos serios
- Puntualizando
- No dándole sensación de prisa
- No decepcionándole
- Con empatía

DURO
Características: seguro, tajante, firme, entendido.
¿Cómo tratarle?
- Con seguridad y profesionalidad
- Usando buenos argumentos
- No llevándole la contraria
- Prestándole mucha atención
- No haciéndole alardes de venta
- Puntualizando y concretando

EXTROVERTIDO
Características: amable, amistoso, cordial, hablador.
¿Cómo tratarle?
- Con simpatía
- Haciéndole protagonista
- Insistiendo en las ventajas
- Halagándole discretamente
- Adoptando su misma actitud

INDECISO
Características: indeciso, tímido, callado.
¿Cómo tratarle?
- Con delicadeza
- Ofreciéndole colaboración
- No presionándole
- Mostrándole pruebas escritas, testimonios
- Manteniendo el contacto visual
- Con elegancia

IMPACIENTE
Características: excitable, agresivo, malhumorado.
¿Cómo tratarle?
- Con paciencia
- Manteniéndose inalterable
- No contradiciéndole
- Con tranquilidad y atención
- Exponiéndole las cosas con amabilidad

- ¿Te identificas con alguno de estos tipos de clientes? ¿Con cuál?
- ¿Se debe tratar a todos los clientes por igual o debemos adaptarnos a su condición?
- ¿Crees que el trato es adecuado para cada uno de ellos?
- ¿Existen más tipos de clientes? Piensa en otro y haz una ficha como las anteriores.
- En parejas, adoptad el rol de un comprador y un vendedor de los anteriores. Preparad un guión y escenificad la compra de un producto ajustándoos a vuestras características.

TOMA NOTA

La Unión Europea ofrece a los consumidores de la UE un servicio de atención y ayuda al cliente en cada país a través de un portal denominado Centro Europeo del Consumidor.

✓ Consulta la página del Centro Europeo del Consumidor en España y haz una relación de los apartados que contiene, del tipo de ayuda que ofrece y de los trámites que se pueden realizar. https://cec.consumo.gob.es/

BORRADOR ADJUNTO

Elige una de las situaciones de esta página y escribe una reclamación por escrito a la empresa.

14 **Mira el siguiente esquema y explica con tus palabras en qué consiste la ley de la oferta y la demanda.**

Oferta de productos superior a la demanda, competencia: **bajan los precios.**

| Al aumentar la demanda escasean los productos: **suben los precios.** |
| Al bajar los precios: **aumenta la demanda.** |

Oferta de empleo superior a la demanda, competencia: **suben los salarios.**

| Al aumentar la demanda de trabajo desaparece la competencia: **los salarios bajan.** |
| Al subir los salarios nuevas personas acceden al mercado de trabajo: **aumenta la demanda.** |

- ¿A qué aspectos afecta la ley de oferta y demanda?
- ¿Qué influencia tiene el análisis de la competencia en la ley de oferta y demanda?
- ¿Puedes ejemplificar esta información con una situación real?
- ¿Crees que internet fomenta la competencia entre empresas?
- Escribe las ventajas e inconvenientes que tiene la competencia para el consumidor y para el vendedor.

15 **¿Qué sabes del *e-commerce*? ¿En qué consiste? Escribe una definición.**

¿Conoces los tipos de *e-commerce*? ¿Qué significan estas letras? Relaciónalas con su significado.

El *e-commerce* o comercio electrónico es...

1) B2B

| 2) B2E |

| 3) B2C |

| 4) B2G |

| 5) C2C |

a) Este tipo de comercio es el más usado, ya que es entre una tienda virtual y una persona interesada en el producto o servicio que ofrecemos.

b) La venta o servicio se hace de empresa a empresa, es decir, no interviene una persona natural sino que la transacción se hace con una empresa.

c) Este comercio se centra únicamente en venderle a instituciones o gobierno.

d) Puede entenderse como una tienda online en la cual los consumidores venden o compran entre ellos, sin necesidad de tener involucrados a terceros.

e) Este comercio es utilizado en las empresas para ofrecer descuentos a sus empleados en diferentes productos, y a sí incentivar a un mejor desempeño laboral.

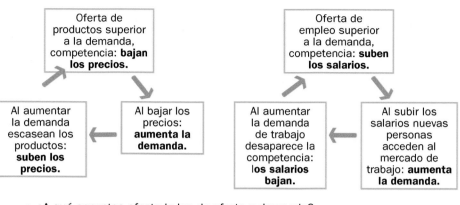

¿ SABÍAS QUE... ?

El **cliente misterioso** es un profesional especializado en actuar como un comprador habitual en cualquier tipo de establecimiento, solicitando información o incluso adquiriendo un producto o servicio con el fin de realizar un análisis minucioso de la empresa y lo que le rodea. Así, elabora informes con los resultados obtenidos de los que sacarán conclusiones sobre los aspectos que funcionan y los que deben mejorar. Las empresas, especialmente del sector servicios y de ámbito bancario y de distribución, emplean al cliente misterioso para analizar lo que hace la competencia y así saber cuál es su situación respecto a esta.

✓ *Busca un poco más de información sobre los clientes misteriosos y conviértete en uno de ellos En parejas, elaborad un cuestionario para evaluar alguna de las tiendas que visitáis con frecuencia. Después, analizad los resultados y establecer un plan de mejora.*

👀 CURIOSIDADES

Wallapop es una aplicación española para el móvil que nos permite comprar y vender artículos de segunda mano de consumidor a consumidor. La ventaja con respecto a otras app es la geolocalización, es decir, nos permite buscar y ofrecer los productos por cercanía. Su funcionamiento es muy sencillo. Solo es necesario un Smartphone y una conexión internet para poder echar un vistazo bien por categorías, por precio, por localización o por otros criterios de búsqueda. Para vender, es suficiente con hacer una foto a nuestro producto, describirlo y ponerle un precio justo. Actualmente, la startup española empieza a triunfar en todo el mundo.

✓ *¿Qué te parece si organizamos una subasta en clase? Elige un objeto personal que ya no quieras y véndeselo a tus compañeros. Ellos pujarán por él.*

A DEBATE

| ¿Dónde prefieres comprar, en grandes almacenes o en pequeñas tiendas? | ¿Qué tipo de productos compras en cada uno de ellos? | ¿Te parecen adecuadas las políticas corporativas de algunas empresas? | ¿Qué inconvenientes tiene la compra de productos en la red? | ¿Has tenido alguna mala experiencia con alguna compra? |

16 **Mira las siguientes estadísticas sobre la forma de comprar en España y coméntalas.**

- ¿Te sorprenden? ¿Cuál es tu forma de ahorrar?
- ¿Cómo son los compradores en tu país? Busca información.
- Elabora una encuesta con algunas preguntas sobre los hábitos de compra y las preferencias. Después, elabora una estadística y compara los resultados con los de tus compañeros.

¿QUÉ HACEN LOS ESPAÑOLES PARA AHORRAR MÁS?

Compran más productos en promoción	**47 %**
Cambian a productos de buena relación calidad-precio	**40 %**
Cambian a marcas del distribuidor	**39 %**
Son cuidadosos al utilizar los ingredientes	**37 %**
Compran menos productos caros	**35 %**
Almacenan productos en promoción	**33 %**
Comparan precios de manera más cuidadosa	**31 %**
Cambian a marcas menos caras	**30 %**
Miran en distintas tiendas para comparar precios	**27 %**
Cambian de tienda para encontrar mejores precios	**13 %**

Fuente: Nielsen

17 **Lee el siguiente texto y contesta a las preguntas.**

EL RASTRO, MÁS QUE UN MERCADILLO

¿Conoces el Rastro de Madrid? Entre la Ribera de Curtidores y la Calle Toledo, en el céntrico barrio de La Latina, los domingos y días festivos por la mañana se extiende el Rastro, un mercado al aire libre que se ha convertido en verdadera insignia de la ciudad de Madrid.

La historia de este mercadillo es muy antigua puesto que ya desde el siglo XV se empezaron a establecer puestos de ropa vieja, comida y objetos de segunda mano. Antiguamente, la zona que ocupa el Rastro era el lugar en la que se ubicaban las curtidurías, muy cercanas al matadero. Su nombre se debe pues al rastro de sangre que dejaban las reses durante su traslado.

En sus calles se encuentran cientos de puestos donde pueden comprarse desde un abridor a muebles, películas, ropa usada, enchufes o cualquier otro artilugio que se pueda imaginar, e incluso intercambiar cromos.

Pasear por este mosaico de colores lleno de animación y bullicio **en busca de una ganga** se convierte en un verdadero placer para madrileños y turistas. Y así comienza el arte de comprar: el regateo. Para ello, el vendedor propone un precio y el comprador otro, y así hasta conseguir una cifra que satisfaga a ambos. Practicar el regateo requiere perseverancia y, sobre todo, "**buen ojo**" para evitar que nos den "**gato por liebre**".

Una vez terminado el recorrido por los puestos, la costumbre es tomar el aperitivo y descubrir los bares con ese sabor al Madrid viejo, disfrutando así de un domingo al más puro estilo madrileño.

- ¿Conoces el Rastro? ¿Hay algún mercadillo similar en tu país?
- Busca el significado de las expresiones del texto en negrita y sustitúyelas por otras similares.
- ¿Qué tipo de compradores crees que frecuentan estos mercados al aire libre?
- Busca información sobre los mercadillos más importantes de otras ciudades del mundo. En grupos, escribid un texto como el anterior sobre uno de ellos y haced una presentación a vuestros compañeros.

18 **Mira las fotografías y comenta con tus compañeros.**

 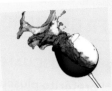  

- ¿Conoces estos productos? ¿Qué crees que tienen en común?
- ¿Dónde puedes comprarlos? ¿Y consumirlos?
- ¿Los puedes conseguir fácilmente en tu país? ¿Sueles consumirlos? ¿Por qué?
- ¿Existen en tu país productos representativos? ¿Qué otros alimentos asocias con España? ¿Y con otros países hispanos?
- ¿Cómo crees que contribuyen los productos gastronómicos a la imagen de un país?

19 **Lee el siguiente texto y contesta a las preguntas**

La plaza del mercado ha sido durante muchos años el lugar donde adquirir los productos de **consumo diario** para la elaboración de la comida familiar y de los menús para los **negocios de hostelería**. En cada uno de sus puestos se vendían víveres específicos: carnes, verduras, pescados, fiambres, pollos, etc. Ir al mercado suponía comparar, valorar y elegir entre todas las ofertas los alimentos frescos que mejor se adaptaban al gusto y **bolsillo** del cliente. Al tratarse de **productos perecederos**, la **mercancía** iba directamente de la huerta, la granja o del puerto y de ahí a las mesas de los consumidores.

El Mercado de San Miguel, situado en el centro de Madrid, es un lugar idóneo para la degustación de las delicias de la capital. En él se aglutinan los mejores profesionales, expertos y entusiastas de sus respectivas especialidades.

El Mercado de San José, conocido por todos como La Boquería, en la céntrica Rambla de Barcelona, reinventa el concepto de mercado tradicional hasta el punto de convertirse en uno de los atractivos turísticos de la ciudad. En la actualidad consta de más de 300 puestos donde podemos comprar productos locales, exóticos y típicos de las gastronomías de otros países.

Sin embargo, hoy en día el cliente busca lo **exquisito**, de ahí que exija calidad y variedad. La denominación de origen o el exotismo son criterios que se barajan a la hora de decidirse entre las diferentes opciones. El **placer** por la gastronomía y la educación del paladar han dado lugar a un nuevo concepto de mercados: lugares donde degustar los mejores productos, los más frescos y mejor cocinados, incluso por afamados cocineros. ¿Se puede pedir más?

- Sustituye las palabras en negrita del texto por alguna de las siguientes expresiones.

| sin conservar | habituales | alimentos | gusto | selecto | género | restaurantes y bares | dinero |

- ¿Qué tiendas puede haber en un mercado?
- ¿A qué se refiere el texto cuando habla de productos con denominación de origen? ¿y exotismo?
- ¿En qué consiste la transformación que han sufrido los mercados en los últimos años?
- ¿Existe este tipo de mercados en tu país? ¿Cómo son?

✓ CHEQUEANDO...

Escribe una definición para comercio.

Enumera los tipos de comercio que conoces.

¿Qué derechos tiene el consumidor?

¿En qué consiste la competencia?

Haz una relación de ventajas e inconvenientes del comercio electrónico.

¿Quién es el cliente misterioso?

¿Qué tipos de cliente existen?

¿Cuáles son las características de un mercado tradicional?

DOSSIER GRAMATICAL ☐ ☐ ☐

PRETÉRITO PLUSCUAMPERFECTO

- Con el pretérito pluscuamperfecto hablamos de acciones anteriores a otra acción también del pasado.

  Antes del comercio, ya se había desarrollado el trueque.

  Compraron el producto porque habían ahorrado mucho.

CONTRASTE DE PASADOS

- Mira los diferentes tiempos de pasado en contraste.

  Adolfo compró un móvil que había visto en un escaparate.

  Contrataron un servicio que era muy completo.

  No realizaba compras por internet frecuentemente porque había tenido un problema en una ocasión con un pedido.

VERBOS DE OPINIÓN

- Los verbos de opinión rigen indicativo o subjuntivo según si el verbo va en afirmativo o negativo.

  Creo que este es un buen producto.

  No creo que las ventas de esa empresa sean muy elevadas.

✋ MANOS A LA OBRA...

Un cliente de telefonía móvil y un operador intentan negociar sobre algunas ofertas de telefonía móvil. En parejas, representad la conversación.

A

Trabajas en una compañía móvil, en el departamento de fidelización de clientes. Llamas a un cliente para que continúe en vuestra compañía y ofrecerle una serie de ventajas.

- Quieres que el cliente renueve su contrato telefónico.
- Le ofreces un móvil nuevo a un precio muy barato.
- Tu oferta consiste en una segunda línea al 50 %.
- Le regalas una tableta, pero tiene que comprometerse a permanecer dos años en el servicio.
- Le das un bono de llamadas desde el extranjero.
- Le ofreces un descuento del 10 % en la factura habitual.

B

Tienes contratados una serie de servicios con tu operador telefónico, pero no estás muy contento. Te ofrecen una serie de ventajas pero tú quieres irte a otra compañía.

- Quieres cambiarte de compañía.
- Acabas de comprarte un móvil nuevo.
- Vives solo y no quieres más líneas telefónicas.
- No quieres ningún compromiso de permanencia.
- No tienes intención de viajar a ningún otro país.
- Quieres reducir tu factura en un 50 %. Piensas que pagas demasiado dinero.

7 Marketing y publicidad

INICIANDO...

AGENDA

✓ Mercadotecnia
✓ *Marketing mix*
✓ Estrategias de *marketing*
✓ Estudios de mercado
✓ Estrategias de venta
✓ La publicidad programática
✓ Análisis de la publicidad
✓ Iconos publicitarios

Porque tú lo vales.™

destapa la felicidad
open happiness

cuando haces pop
ya no hay stop

Piensa en Verde

el secreto está
en la masa

Hay cosas que el dinero no puede comprar.

NO TE ABANDONA

¿Qué te sugieren estas frases?

¿Qué quieren decir?

¿Con qué marcas las asociarías?

¿Te parecen buenos eslóganes?

Lee la siguiente definición y contesta a las preguntas:

La **mercadotecnia** es el conjunto de principios y prácticas que se llevan a cabo con el fin de aumentar el comercio, especialmente la demanda. Este concepto también hace referencia al estudio de los procedimientos y recursos que persiguen dicho objetivo. La mercadotecnia parte del análisis de la gestión comercial de la empresa para posicionar el producto en la mente de los consumidores.

• ¿Sabes qué otro término se puede emplear para este concepto? ¿Qué mecanismos utiliza la mercadotecnia? ¿En qué consiste una "campaña de mercadotecnia"?

¿ SABÍAS QUE... ?

La publicidad, como forma de comunicación, se complementa con otras ciencias como la sociología, psicología, estadística o la economía para llevar a cabo los estudios de mercado y seleccionar a un público objetivo (*target*) al que dirigirse, bien a través de medios convencionales o formas alternativas.

✓ ¿En qué aspectos pueden afectar estas ciencias a la publicidad? ¿A que nos referimos con medios convencionales y otros medios publicitarios? Enumera alguno.

1 **Asocia las siguientes palabras a su definición. ¿Qué te sugieren?**

Precio	Distribución	Producto	Promoción

1) Satisface una determinada necesidad.

2) Canales que atraviesa un producto desde que se crea hasta que llega a las manos del consumidor, incluyendo almacenaje, puntos de venta, relación entre los intermediarios, etc. También se conoce como plaza.

3) Único elemento del *marketing mix* que proporciona ingresos, pues el resto solo produce costes. Se determina desde la empresa y varía en función de la calidad del producto.

4) Responde a los esfuerzos de la empresa por dar a conocer el producto y aumentar sus ventas.

2 **Lee las siguientes palabras ¿Qué tienen en común? Escribe una definición de cada una de ellas.**

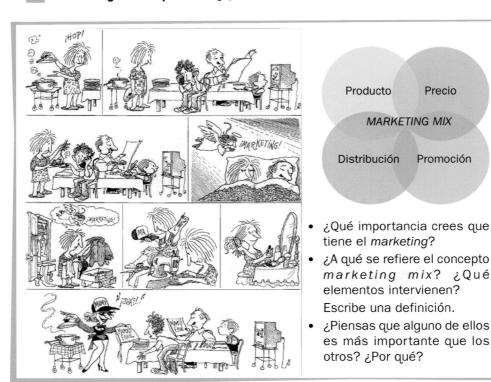

Producto — Precio

MARKETING MIX

Distribución — Promoción

- ¿Qué importancia crees que tiene el *marketing*?
- ¿A qué se refiere el concepto *marketing mix*? ¿Qué elementos intervienen? Escribe una definición.
- ¿Piensas que alguno de ellos es más importante que los otros? ¿Por qué?

¿ SABÍAS QUE... ?

Existen muchos tipos de *marketing* que responden a diferentes criterios y necesidades. Entre ellos destacan el *marketing* masivo, de servicios, bancario, directo, online, etc.

✓ *Busca información sobre las variantes de marketing y explica en qué consisten. Señala también algún ejemplo de empresas que practiquen este tipo de marketing.*

3 **Escucha el audio y señala si las siguientes afirmaciones son verdaderas (V) o falsas (F).**

Pista 19

	V	F
• El *marketing* analiza el comportamiento de los mercados.	○	○
• La fidelización de clientes implica la satisfacción de sus necesidades.	○	○
• Las empresas determinan el precio exclusivamente en función de la calidad del producto.	○	○
• La publicidad no es importante dentro del *marketing mix*.	○	○
• Los servicios postventa deben tenerse en cuenta en las estrategias de *marketing*.	○	○
• Todos los elementos del *marketing mix* deben estar bien coordinados.	○	○
• El *marketing mix* deja en segundo plano al consumidor.	○	○
• Los objetivos del *marketing mix* son siempre a largo plazo.	○	○

4 Observa el siguiente cuadro e intenta explicar los criterios a la hora de establecer un precio. Después, lee el texto de la derecha y realiza las actividades.

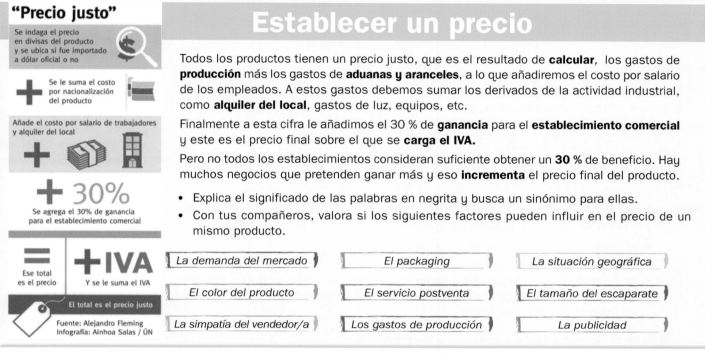

"Precio justo"

Se indaga el precio en divisas del producto y se ubica si fue importado a dólar oficial o no

Se le suma el costo por nacionalización del producto

Añade el costo por salario de trabajadores y alquiler del local

+ 30%

Se agrega el 30% de ganancia para el establecimiento comercial

Ese total es el precio

+IVA

Y se le suma el IVA

El total es el precio justo

Fuente: Alejandro Fleming
Infografía: Ainhoa Salas / ÚN

Establecer un precio

Todos los productos tienen un precio justo, que es el resultado de **calcular**, los gastos de **producción** más los gastos de **aduanas y aranceles**, a lo que añadiremos el costo por salario de los empleados. A estos gastos debemos sumar los derivados de la actividad industrial, como **alquiler del local**, gastos de luz, equipos, etc.

Finalmente a esta cifra le añadimos el 30 % de **ganancia** para el **establecimiento comercial** y este es el precio final sobre el que se **carga el IVA.**

Pero no todos los establecimientos consideran suficiente obtener un **30 %** de beneficio. Hay muchos negocios que pretenden ganar más y eso **incrementa** el precio final del producto.

- Explica el significado de las palabras en negrita y busca un sinónimo para ellas.
- Con tus compañeros, valora si los siguientes factores pueden influir en el precio de un mismo producto.

La demanda del mercado	El packaging	La situación geográfica
El color del producto	El servicio postventa	El tamaño del escaparate
La simpatía del vendedor/a	Los gastos de producción	La publicidad

5 ¿Cuál es tu criterio a la hora de comprar estos productos? Utiliza las siguientes palabras.

| Prestigio | Precio | Calidad | Publicidad | Consejo de amigos |

- Ahora elige dos productos similares, por ejemplo dos coches, dos móviles, etc., y compara sus características. ¿Cuál es mejor? ¿Y peor?

6 Mira la siguiente situación.

Imagina que viajas con un grupo por el desierto del que te has separado accidentalmente y no volverás a encontrarte con otro grupo hasta por la noche. Estás cansado, tienes hambre, calor, pero sobre todo tienes sed, mucha sed, ¿cuánto pagarías por un vaso de agua? En el desierto, un litro de agua vale **más que** un litro de petróleo.

- ¿Recuerdas alguna situación en la que pagaste mucho dinero por algún objeto? Compártela con tus compañeros. Si no, inventa una.

COMPARAR

- La calidad es tan importante como el precio.
- Me importa más el color que el tamaño.
- La garantía es menos importante que el precio.

| *Marketing* y publicidad

7 **Mira esta encuesta y realiza las actividades.**

ENCUESTA PARA LA APERTURA DE UN RESTAURANTE

- DATOS GENERALES
  -Edad: -Sexo: -Ingresos mensuales:

- INFORMACIÓN
  1) ¿Qué tipo de restaurantes frecuenta?
  2) ¿Con qué frecuencia asiste a un restaurante?
     a) Una vez a la semana   b) Cada mes   c) Cada dos   d) Casi nunca
  3) ¿Cuál es su presupuesto cuando va a un restaurante?
     a) De 1 a 10 euros   b) De 10 a 20 euros   c) De 20 a 35 euros   d) Más de 50 euros
  4) ¿Cuáles son sus tres platos preferidos?

- ¿Te parece interesante la encuesta?
- ¿Crees que las preguntas son adecuadas?
- Añade cinco preguntas más.
- En grupos, imaginad que vais a sacar al mercado un nuevo producto. Elaborad la encuesta adecuada y realizádsela a vuestros compañeros. Después, escribid un informe con los resultados.

8 **Lee el siguiente texto y contesta a las preguntas.**

PALABRAS QUE VENDEN

A pesar de que los expertos apuntan que solo el 7 % de la comunicación es verbal, somos lo que decimos y reaccionamos en función de lo que escuchamos y leemos. Las palabras tienen el poder para seducir, inducir, persuadir, excitar y motivar.

En el mundo del *marketing* se busca la efectividad, de ahí que se empleen palabras con el suficiente poder psicológico como para generar impacto entre los consumidores. Y aunque estas en sí mismas no garantizan nada, combinadas en un mensaje claro, pueden llegar a ser una herramienta útil en el momento de publicitar un determinado producto. Utilizar correctamente estos términos puede marcar la diferencia entre un mensaje que pasa desapercibido y otro que genera ventas. Aquí tienes alguna:

Nuevo: ¿Sabías que el término "nuevo" activa determinadas partes de nuestro cerebro? Y esto se debe a que evolutivamente el humano tiende a ser curioso y a buscar novedades para sobrevivir. Si algo es nuevo o puede parecerlo, enfatiza la novedad en tu mensaje.

Gratis: Aunque bien sabemos que todo tiene un valor en la vida, escuchar esta palabra despierta nuestros sentidos, de ahí que ofrecer un servicio o un segundo producto gratuito nunca pierda fuerza. También los descuentos y el ahorro tienen mucho gancho en el consumidor.

Rápido: Así como queremos que las cosas sean fáciles, también queremos las cosas fáciles de la manera más rápida posible para recuperar cuanto antes nuestra inversión. Ojo, no utilizar palabras como "al instante", suena demasiado mágico.

Tú: Resulta uno de los vocablos más potentes y persuasivos en tanto que acorta la distancia entre el vendedor y el comprador e imprime un sello de cercanía y familiriaridad.

Fácil: Hoy en día nadie quiere perder el tiempo, por lo que queremos obtener y hacer las cosas de la manera más simple posible. Lo fácil es sencillo, sin complicaciones, sin problemas.

Garantizado: Genera confianza y seguridad en el consumidor que considera que el producto no presenta ningún riesgo. Igualmente implica seriedad por parte de la empresa.

- ¿Estás de acuerdo con lo que expone el texto?
- ¿Conoces otras palabras que también pueden ser efectivas?
- Inventa situaciones en las que se usen estas palabras
- Escribe una lista con cinco palabras contraproducentes para las ventas.
- Elige diez anuncios y analiza sus textos.

9 **¿Qué sabes de la publicidad programática? Presta atención a la imagen y busca los términos que no conozcas.**

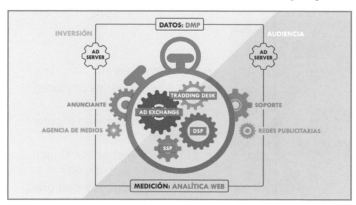

Pista 20

10 **Ahora escucha el audio y toma nota de cómo funciona este fenómeno. Contesta después a las preguntas.**

- ¿En qué consiste la publicidad programática? ¿Qué elementos intervienen?
- ¿Qué conocemos como big data? ¿En qué consisten las pujas digitales?
- ¿Qué ventajas tiene este tipo de publicidad?
- Los expertos hablan de la publicidad programática como la publicidad del futuro. ¿Estás de acuerdo? ¿Por qué?
- Google y Facebook son grandes competidores de la publicidad programática. ¿Te resulta inquietante que tengan tantos datos sobre nosotros? Háblalo con tus compañeros.

11 **Observa las fotografías ¿Qué tipo de publicidad hacen? Coméntalo con tu pareja.**

12 **Ahora, responde a estas cuestiones.**

- ¿Qué características tiene el *marketing* en el punto de venta?
- ¿Qué pretende?
- ¿Qué tipo de productos se suelen promocionar?
- ¿Qué beneficios tiene para el consumidor? ¿Y para la empresa?
- ¿Crees que puede tener consecuencias negativas?

13 **Por parejas, diseñad una campaña de *marketing* en el punto de venta para promocionar un nuevo chocolate. Explicad al público al que os dirigiréis, el lugar, la hora, el tipo de actividades, etc. ¡No olvidéis ser creativos!**

TOMA NOTA

Samplia es la primera aplicación del móvil que te permite obtener productos gratuitos a través de una máquina.

- Entra en su página web e investiga cómo funciona.

  http://www.samplia.com

A DEBATE

¿Qué piensas de la publicidad engañosa? ¿Qué consecuencias tiene?

¿Cómo influye la publicidad en los consumidores?

¿Qué tipo de *marketing* crees que es más efectivo?

¿Qué consecuencias positivas y negativas tiene la publicidad?

Cita tres productos que hayas comprado solo gracias a la publicidad.

14 Observa los siguientes logotipos y debate con tu pareja las cuestiones que se plantean.

- ¿Qué te sugieren?
- ¿Qué sensaciones producen en ti?
- ¿Crees que emplean el color adecuado?
- ¿El diseño y el color influyen en nuestra percepción?
- ¿Qué colores crees que predominan en publicidad?

La **cromoterapia** es una técnica que emplea los colores como terapia. Los colores ejercen influencias emocionales en las personas, generando estados de ánimo que restablecen el equilibrio y curan enfermedades.

✓ *Busca información sobre el efecto que tienen otros elementos tales como la música, las imágenes o la tipografía de las letras sobre las personas y su uso en la publicidad.*

Pista 21

15 Escucha el audio y completa el cuadro.

Color	Expresa	Se utiliza en...

16 Comenta con tu pareja la siguiente estadística. ¿Te sientes identificado con los datos?

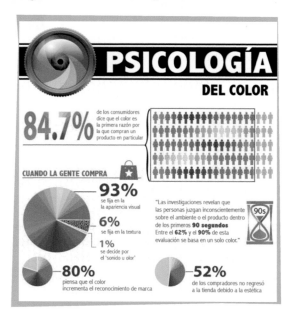

17 Elabora un pequeño test para tu pareja teniendo en cuenta todos los datos e informaciones que se ofrecen en los ejercicios anteriores. Puedes apoyarte en logos conocidos y preguntarle sobre sus colores favoritos, sobre la influencia que ejercen en él/ella o las sensaciones que le generan. Después, escribe una valoración acerca de la eficacia que tiene el color en esa persona.

18 Aquí tienes algunas campañas de publicidad reales. ¿Te parecen buenas campañas? Analízalas.

19 ¿Qué quieren decirnos los anuncios anteriores? Completa las frases con el verbo adecuado del recuadro en el tiempo correspondiente.

| compartir | volar | utilizar | tomar |

| disfrutar | ponerse |

- Si _____ unas zapatillas New Balance, correrías con el corazón.
- Si _____ tu vida, será mucho mejor.
- Si eres una mujer normal con curvas, _____ crema DOVE.
- Fumar es malo, pero si fumas, _____ de tus contradicciones.
- Si quieres un respiro, _____ Kit Kat.
- Si bebiera Red Bull, _____ con mis alas.

EXPRESAR CONDICIÓN

Si te gusta algo, cómpralo.

Si ves mucho la tele, conocerás muchos productos gracias a la publicidad.

Si tienes dinero, compras más.

Si tuviera imaginación, sería publicista.

20 Con tu compañero/a, imagina que sois unos importantes publicistas a los que han encargado elaborar un spot publicitario para un nuevo producto hasta el momento inexistente. Diseñad vuestra campaña y analizadla antes vuestros compañeros teniendo en cuenta los siguientes puntos.

- Nombre del producto.
- Eslogan.
- Logotipo.
- Descripción del producto y destinatarios.
- Medios y tipo de campaña.
- Elementos visuales del anuncio.
- Elementos textuales del anuncio.
- Música y efectos sonoros.

POR FiN,
UNOS SUECOS
QUE NO VIENEN
a TOMAR
EL SOL.

47.000.-

Llega la nueva forma de comprar muebles y decoración.

IKEA

21 **Presta atención a la siguiente publicidad gráfica.**

En España, volver antes de las 3 no es salir. Es ir a cenar

Hay un McDonald's® para ti
125 restaurantes abiertos 24h

ABIERTO 24 HORAS

Ya vienen.

Feliz Navidad.

VW
Das Auto.

- ¿Qué tipo de empresas son?
- ¿Por qué sabemos que estos anuncios están pensados para el público español?
- Busca en ellos los referentes culturales.

22 **Lee el siguiente texto y contesta a las preguntas.**

EL *MARKETING* VIRAL

En la era de las telecomunicaciones y gracias a internet, las noticias se propagan con sorprendente rapidez, lo que supone una oportunidad para que las empresas capten el interés de los consumidores. Así, oímos con frecuencia que un vídeo o una noticia "**se ha hecho viral**". ¿Pero qué significa realmente esto? La palabra "viral" está relacionada con "virus", de gran facilidad para pasar de un miembro a otro de una comunidad. Cuando se comparte una información, imagen, vídeo, foto, etc., en internet existe la posibilidad de que sea difundida por millones de usuarios y llegue a ser un verdadero **fenómeno de masas**.

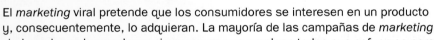

El *marketing* viral pretende que los consumidores se interesen en un producto y, consecuentemente, lo adquieran. La mayoría de las campañas de *marketing* viral son lanzadas por la propia empresa que emplean todos sus esfuerzos para difundir la información a través de las diferentes redes sociales. Generalmente, **se cuelga un vídeo** con **carga emocional** con el nombre de la marca, pero a veces se omite y el usuario la desconoce, por lo que crece así la expectación sobre el contenido.

Buen ejemplo de este *marketing* viral ha sido una de las últimas campañas de Campofrío, "Hazte extranjero". En el vídeo, aparecían numerosas caras conocidas de la cultura española que paseaban por un mercadillo de nacionalidades en busca del país más idóneo.

- ¿Puedes escribir una definición para *"marketing* viral"?
- Busca el significado de las expresiones del texto en negrita y sustitúyelas por otras similares.
- Visualiza el vídeo de Campofrío mencionado en el texto "Hazte extranjero" y contesta: ¿Cuál es el mensaje? ¿Qué ideas aparecen? ¿A quién va dirigido? ¿Qué propósito tiene?
- En el vídeo se tratan tópicos españoles, ¿puedes identificar alguno?
- ¿Crees que la campaña de Campofrío tiene los ingredientes necesarios para hacerse viral? ¿Por qué?
- Piensa en otras campañas que se han hecho virales en tu país y prepara una breve exposición sobre una de ellas atendiendo a su finalidad, contenido, millones de descargas, etc. Explica los sentimientos y emociones que las han llevado al éxito.

23 **Mira las fotografías y comenta con tus compañeros.**

- ¿Conoces a estos personajes? ¿Qué representan?
- ¿Qué venden? ¿Cómo lo hacen?
- ¿Sabes que quiere decir el término "influenciadores" (*influencers*, en inglés)? Relaciónalo con los personajes anteriores.
- ¿Cómo crees que aprovechan las empresas la imagen y la influencia de determinadas personas para promocionarse? ¿Cómo reacciona el público?

24 **En España podemos encontrar también personajes reconocidos mundialmente por su importancia social o profesional que gracias a su labor forma parte de la llamada MARCA ESPAÑA. En ellos se reflejan valores correctos y adecuados y su fama permite difundir la imagen del país de forma muy positiva. Aquí tienes algunos:**

IMAGEN DE LA IMAGEN

FORTALEZAS DE LA **MARCA ESPAÑA**

- ¿Conoces el nombre de los personajes de las fotografías?
- ¿En qué han triunfado?
- ¿Qué significa la expresión "imagen de la imagen"?
- Por parejas, y pensando en sus características, asociadlos según vuestro criterio a algún producto o causa social. Justificad vuestra decisión.
- ¿De qué hablamos con MARCA ESPAÑA?
- Elige tres personajes que con su imagen y actitud representen a tu país. Justifica tu elección.

> **TOMA NOTA**
>
> La **ACT** o Asociación de Creatividad Transformadora es una entidad formada por las agencias de publicidad más prestigiosas de España.
>
> ✓ Echa un vistazo a su página web e investiga tanto sus funciones como las empresas que la integran. Investiga sobre alguna de ellas. https://agenciasact.es
>
> ✓ ¿Qué agencias publicitarias existen en tu país?

✓ CHEQUEANDO...

¿Cuáles son los factores del marketing mix?

¿A qué llamamos marketing en el punto de venta?

Define producto

¿Puede variar el precio de un mismo producto? ¿Por qué?

Escribe dos ejemplos de *marketing* viral

¿Qué es una promoción?

Señala la importancia de las redes sociales en el *marketing*.

¿Qué es un influenciador?

DOSSIER GRAMATICAL ☐ ☐ ☐

COMPARAR

- Podemos comparar dos términos y establecer una relación de superioridad, inferioridad o igualdad entre ellos.

  El producto es tan importante como la distribución.

  Los estudios de mercado son más fiables que las encuestas.

  El precio de este producto es más alto que el de este otro.

- Tenemos que tener en cuenta si lo que comparamos son adjetivos, nombres, adverbios o verbos.

ORACIONES CONDICIONALES

- Son aquellas que establecen una condición que tiene que cumplirse para que la otra oración sea verdadera. Pueden ser de diferentes tipos.

  PROBABLES

  Si tienes dinero, gastarás / gastas / gasta más...

  POCO PROBABLES

  Si tuviera dinero, gastaría más.

✋ MANOS A LA OBRA...

En la agencia de publicidad están intentando diseñar una campaña para un nuevo producto. En parejas, representad la conversación.

A

Eres un importante publicista en una agencia de publicidad y trabajas con tu jefe en la última campaña para el último producto de una prestigiosa compañía.

- Tienes numerosas ideas para promocionar este producto.
- Defiendes una campaña novedosa y creativa.
- Piensas que hay que diseñar algo muy diferente a las otras campañas de la misma empresa.
- Quieres imágenes impactantes.
- Para este producto, crees que es mejor no utilizar ninguna frase, solo imágenes.
- Tu cabeza está llena de colores.

B

Eres el jefe de una agencia de publicidad y estás diseñando junto con uno de tus mejores creativos una campaña para el último producto de una prestigiosa compañía.

- No te gustan mucho las ideas que te proponen.
- Eres tradicional en tu forma de entender la publicidad.
- Opinas que el anuncio debe seguir los patrones de las otras campañas de la misma empresa.
- Prefieres las imágenes sugerentes.
- Buscas una frase que pueda definir a la perfección la imagen que queréis introducir en la campaña.
- Apuestas por el blanco y negro.

AGENDA

- ✓ Entidades bancarias
- ✓ Operaciones en el banco
- ✓ Hacer una transferencia
- ✓ Abrir una cuenta
- ✓ Valorar los productos bancarios
- ✓ Invertir en la bolsa
- ✓ Empresas del Ibex 35

¿ SABÍAS QUE... ?

La letra de cambio es un título de crédito que contiene una orden escrita por una persona (girador) a otra (girado) para que pague una cantidad de dinero en un tiempo futuro a un tercero (beneficiario). Las primeras letras de cambio que se conservan datan de la Edad Media y fueron encontradas en la localidad de Medina del Campo.

✓ ¿Cómo funcionaban entonces las letras de cambio? ¿Cómo han evolucionado? Busca la información al respecto.

INICIANDO...

¿Qué representan las imágenes?

¿Qué tienen en común?

¿Sabes a qué país pertenecen estas entidades?

Lee la siguiente definición y contesta a las preguntas:

Un **banco** es una empresa dedicada a realizar operaciones financieras con el dinero procedente de sus accionistas y de los depósitos de sus clientes. Los bancos, como instituciones financieras, desempeñan un papel importante en el sistema económico actual. La estructura que componen permite la transferencia de dinero entre ahorradores e inversores y prestatarios.

- ¿Quiénes son los clientes de los bancos? ¿Cuáles eran originalmente las funciones de los bancos? Y ahora, ¿qué tipo de operaciones hacen estas entidades? Haz una lista.

1 Observa las siguientes imágenes. ¿Dónde están? ¿Quiénes son? ¿Qué hacen? Descríbelas.

¿ SABÍAS QUE... ?

En 1792, el dólar se convirtió en moneda oficial de los EE.UU. y su cara fue una réplica del real español, conocido como *Spanish dollar*. Aparecían las dos columnas de Hércules y la cinta con la inscripción Plus ultra, lema de España. La estilización de esta ilustración dio lugar al símbolo S, manteniendo las columnas herculianas.

✓ *Busca información sobre el símbolo del euro y de la libra esterlina. ¿A qué deben su diseño?*

2 Escucha los diálogos y relaciónalos con las siguientes acciones.

Pista 22

☐ Actualizar la libreta
☐ Sacar dinero
☐ Domiciliar un pago
☐ Hacer una transferencia

☐ Cerrar una cuenta
☐ Obtener una tarjeta
☐ Solicitar un préstamo

ABC CONSTRUYE TU GRAMÁTICA

¿Qué expresan las formas verbales en negrita de la actividad 3?

3 Lee el siguiente diálogo en el banco y completa los espacios con las palabras del recuadro. Después señala si las afirmaciones de abajo son verdaderas (V) o falsas (F).

| ahorro | pagos | ingresos | en efectivo | comisión | saldo positivo | débito |

| chequera | usuario | crédito | contraseña | vivienda | números rojos | corriente |

Cliente: Buenos días. **Me gustaría** abrir una cuenta.

Banquero: Muy bien. ¿Qué tipo de cuenta? Tenemos muchas... cuenta de _____, _____, _____, etc.

C: Querría una cuenta para hacer _____, efectuar _____ y en la que pueda disponer del dinero _____.

B: Entonces, una cuenta corriente. Para abrir una cuenta de este tipo, tiene que hacer un depósito inicial de 200 euros.

C: En realidad voy a ingresar 1 000 euros. Pero **quisiera** saber también, ¿hay algún gasto de mantenimiento?

B: No, no tiene ningún coste si tiene _____. Si su cuenta está en _____ tendrá una penalización.

C: ¿Y las tarjetas? ¿Tienen _____?

B: Depende. ¿**Desearía** una tarjeta de crédito o de débito? Cuando paga con la tarjeta de _____, el dinero se descuenta directamente de la cuenta y con la tarjeta de _____, al final de mes. Esta última tiene una comisión de 30 euros anuales.

C: Creo que la de débito está bien. ¿**Habría posibilidad** de tener una _____?

B: Sí, por supuesto. Muy bien pues **necesitaría** algún documento identificativo para poder preparar la documentación y darle su libreta y sus cheques.

C: Perdone, ¿**sería posible** tener acceso a mi cuenta de manera electrónica?

B: Sí, no se preocupe. Ahora le doy de alta como _____ y le facilito su _____.

	V	F			V	F
a. Las cuentas corrientes permiten pagar facturas.	○	○	**e.** Las tarjetas tienen comisión.		○	○
b. El cliente podrá operar por internet.	○	○	**f.** Al cliente no le conviene tener saldo negativo.		○	○
c. El cliente tiene que ingresar 1 000 euros.	○	○	**g.** El cliente dispondrá de cheques.		○	○
d. No existe ninguna comisión para esta cuenta.	○	○	**h.** La libreta tiene un usuario y una contraseña.		○	○

4 Observa el siguiente formulario de transferencia y busca los conceptos que no conoces. Después responde a las preguntas.

Santander — **SOLICITUD DE TRANSFERENCIA**

SUCURSAL:

ORDENANTE
Nombre o razón social
N.I.F./D.N.I./Pasaporte/C.I.F.   C.C.C./IBAN

BENEFICIARIO
Nombre y apellidos o razón social
Domicilio
Plaza y Provincia/País
Banco del Beneficiario y Sucursal
Cuenta/C.C.C./IBAN   Código SWIFT

DATOS DE LA TRANSFERENCIA
DIVISA   IMPORTE (en cifra)
IMPORTE (en letra)
Concepto/Observaciones

Cod.Estad./Part.Aranc(1)   País de Destino(1)

a) ¿Qué es el código IBAN? ¿Y el código SWIFT? ¿Cuándo se utilizan?

b) ¿A quién se denomina beneficiario?

c) ¿A qué hacen referencia el NIF/DNI/PASA-PORTE/CIF?

d) ¿Qué diferencia hay entre el importe en cifra y en letra?

e) ¿Qué son los gastos en una transferencia?

f) ¿Qué debemos escribir en el concepto de una transferencia?

g) Imagina que tienes que abonar un curso de español en la Academia Sin Fronteras y realizar una transferencia por el importe de 350 euros. Inventa los datos necesarios y rellena el formulario.

5 ¿Banca *online* (BO) o banca tradicional (BT)? Con tu pareja, asocia las siguientes características con una u otra. Decide si son ventajas (V) o inconvenientes (I).

□□ *BT V* Trato personal
□□ Gestiones rápidas y sencillas
□□ Conocimientos de informática
□□ Más transparencia y menos letra pequeña
□□ Ahorro para la entidad bancaria
□□ Mayor posibilidad de negociación
□□ Falta de interacción con el personal de la entidad
□□ Susceptibilidad de fraude y estafa

□□ Necesidad de trasladarse a la entidad bancaria
□□ Operaciones 24 horas al día
□□ Productos exclusivos
□□ Negociación de condiciones
□□ Reducción del uso de comisiones
□□ Exceso de burocracia
□□ Facilidad para solucionar problemas

Ej.: El trato personal es una característica de la BT y es una ventaja porque tenemos contacto directo con el personal de la oficina.

> **VALORACIONES CON EL VERBO *SER***
>
> Es conveniente ahorrar.
>
> Es recomendable que los bancos ofrezcan buenos productos.
>
> Es bueno contratar productos *online*.

6 Lee las opiniones de estas personas sobre aquello que valoran a la hora de elegir un banco y coméntalas con tus compañeros.

Carmen
Para mí es importante que sea un banco solvente y fuerte. Es recomendable que valore la lealtad de sus clientes ofreciéndoles ciertos beneficios y productos exclusivos.

Alberto
Es fundamental que no aplique comisiones en las operaciones del día a día. No es normal que los bancos se aprovechen de los clientes en estas pequeñas gestiones.

¿SABÍAS QUE...?

La palabra **Fintech**, término procedente de la contracción de las palabras *fintech, finance y technology*, engloba a las empresas de servicios financieros que utilizan la última tecnología para ofrecer productos financieros innovadores, de forma más eficaz y menos costosa.

✓ *¿Cuál es la función que tienen? Busca ejemplos de alguna de estas empresas.*

A DEBATE

¿Cuándo acudes a una oficina bancaria?

¿Utilizas la banca digital habitualmente?

¿Qué tipo de productos tienes contratados en el banco?

¿Crees que hay demasiados bancos? ¿En qué se diferencian?

¿Crees que debemos ser clientes de varias entidades bancarias?

Pista 23

7 Escucha y relaciona los tipos de productos financieros con sus características y con los productos que incluyen.

AHORRO

A
- Cuentas de ahorro.
- Depósitos a plazo fijo.

INVERSIÓN

B
- Hipotecas.
- Créditos.
- Tarjetas de crédito.

FINANCIACIÓN

C
- Fondos de inversión.
- Planes de pensiones.

8 Lee el siguiente texto y reflexiona sobre las preguntas que se plantean.

En portada

Variables a la hora de contratar un producto

Con el fin de tomar decisiones inteligentes de contratación es muy importante que nos fijemos en un conjunto de variables de los productos, para que no nos llevemos sorpresas.

El riesgo del producto, esto es, la seguridad de nuestra inversión, es vital para decidirnos por uno u otro vehículo inversor. Con el objeto de preservar nuestro capital, debemos plantearnos cuestiones como ¿en qué situaciones obtendré rentabilidad?, ¿puedo perder dinero? o ¿qué ocurre si el banco se liquida? Productos como la deuda pública o los depósitos son muy seguros, si bien otros como los fondos de inversión nos protegen ante una eventual quiebra del banco.

La liquidez se refiere al conjunto de factores que operan con vistas a recuperar nuestro dinero antes de plazo y convertirla en dinero efectivo, teniendo en cuenta las circunstancias o el coste. Las cuentas remuneradas son el producto más líquido que existe y, en el lado opuesto, los planes de pensiones, pues para rescatarlos deben cumplirse condiciones muy estrictas.

Y finalmente la rentabilidad, si analizamos productos de ahorro. En el caso de financiación, tendríamos que valorar el coste financiero y las diferentes comisiones aplicadas.

- ¿Cuáles con las variables que tenemos que considerar cuando contratamos un producto?
- ¿Qué otros aspectos debemos valorar?
- Haz una lista de los productos financieros que se mencionan y señala sus características.

9 Entra en la página web del banco más popular de tu país e investiga sobre los productos que ofrece. Piensa cuáles serían los más adecuados para las personas que se presentan a continuación y toma nota de las características de los mismos. Justifica tu respuesta.

- Un matrimonio de 50 años que cuenta con un capital importante y a la que no le importa el riesgo.
- Un joven de 25 que quiere comprar su primera vivienda.
- Una mujer de 38 años que necesita fondos para emprender con un nuevo negocio.
- Una pareja de 45 años que busca beneficios a largo plazo.

BORRADOR ADJUNTO

Has realizado una transferencia al exterior y el banco te ha cobrado una comisión de 50 euros. Escribe un *email* a tu banco pidiendo explicaciones y el reembolso del dinero.

10 **Mira las siguientes imágenes y contesta a las preguntas.**

Bolsa de Tokio

Bolsa de Londres

Bolsa de Madrid

Wall Street

1. ¿Qué sabes de estos lugares?
2. ¿Cuál suele aparecer más en las noticias? ¿Por qué?

3. ¿Por qué hay bolsas en distintos países? ¿Cómo afecta a la economía del país?
4. ¿Crees que la bolsa puede afectar a tu trabajo? ¿Cómo?

11 **¿Cómo funciona la bolsa? Lee la información y explícala con tus palabras.**

La bolsa o mercado de valores es un mercado en el que se ponen en contacto los demandantes de capital (principalmente las empresas) y los oferentes o excedentarios de recursos financieros (familias, empresas y otras instituciones). Este puede ser un lugar físico o virtual (sistema informático), donde se fija un precio público o cotización que varia constantemente según las fuerzas de la oferta y la demanda y en función de las circunstancias económicas, empresariales u otras.

Adaptado de *Expansión* por José Luis Mateu Gordon

• Vuelve a leer el texto y comenta con tus compañeros:
  ¿Cómo es tu experiencia con la bolsa? ¿Te has planteado invertir? ¿En qué crees que afecta la bolsa en nuestro día a día?

¿ SABÍAS QUE... ?

La palabra "bolsa" tiene su origen en un edificio de la familia noble Van Der Beurze, en la ciudad belga de Brujas, en el que se realizaban encuentros de carácter mercantil. El escudo de armas de esta familia estaba representado por tres bolsas de piel, los monederos de la época. Debido al volumen de las negociaciones de esta familia, se dio el nombre de Beurze al sitio y por extensión se siguió denominando "bolsa" a todos centros de transacciones de valores o de productos.

✓ *Buscad información sobre la bolsa de vuestro país de origen y exponerla al resto de la clase.*

12 **Busca estas palabras en el diccionario y colócalas en el texto.**

| comisionistas | mercados | valores | comisión | emisiones | corredores | renta fija |

La negociación de .... en las bolsas se efectúa a través de los miembros de la bolsa, conocidos usualmente con el nombre de ...., operadores autorizados de valores, sociedades de corretaje de valores, casas de bolsa, agentes o ...., según la denominación que reciben en cada país, quienes hacen su labor a cambio de una .... En numerosos..............., otros entes y personas también tienen acceso parcial al mercado bursátil, como se llama al conjunto de actividades de mercado primario y secundario de transacción y colocación de .... de valores de renta variable y.............. .

13 **Une cada palabra con su definición.**

1. Nasdaq
2. Nikkei
3. Dow Jones
4. IBEX35
5. CAC 40

a. Es el índice de referencia de la bolsa francesa, integrado por las 40 empresas más grandes.
b. El mayor mercado mundial creado para empresas de alto crecimiento.
c. Principal índice bursátil de referencia formado por las 35 empresas con mayor cotización en las bolsas españolas.
d. Índice bursátil que refleja el comportamiento de las 30 compañías más importantes de EE. UU.
e. Índice de referencia de la Bolsa de Tokio.

• ¿Conoces otros índices bursátiles?

14 **Analiza las siguientes imágenes y realiza las actividades.**

Índice	Último	Var. %	Var.	Máx.	Mín.	Volumen
IBEX 35	8 628,7	-0,67	-58,40	8 753,1	8 563,6	151 833 072
FTSE 100	6 792,94	+0,59	+39,76	6 820,52	6 753,18	
DAX 30	10 618,48	-1,09	-116,66	10 735,47	10 610,27	
CAC 40	4 541,6	+0,11	+5,07	4 548,83	4 540,81	
FTSE MIB	16 682,37	-0,02	-3,96	16 763,78	16 545,87	
EURO STOXX 50	3 013,33	-1,19	-36,39	3 061,15	3 009,78	
DOW JONES 30	18 923,06	+0,29	+54,37	18 925,26	18 806,06	100 658 496
S&P 500	2 180,39	+0,75	+16,19	2 180,84	2 166,38	683 974 272
NASDAQ 100	4 764,47	+1,33	+62,43	4 778,65	4 727,98	

Fuente: Expansión

- ¿Qué representan estas imágenes? ¿Qué te sugieren estas siglas?
- ¿Qué significan? ¿A qué países engloban?
- ¿Qué indican los diferentes colores?
- En grupos, elegid una de estas siglas o alguna importante de vuestro país e investigad las empresas que las componen y su evolución. Preparad una breve exposición para vuestros compañeros.

15 **Lee el texto y responde a las cuestiones.**

La encuesta

GUÍA PARA INVERTIR EN BOLSA CON POCO RIESGO

Prácticamente todos los profesionales con larga experiencia en la **gestión de carteras** sostienen que la inversión a medio plazo, entre uno y cinco años, es la más rentable y se considera la operativa a corto plazo como la más difícil, la que requiere más experiencia y en la que el número de errores supera, con frecuencia, al de aciertos.

Casi todos los principiantes que hacen sus **primeros pinito**s en bolsa con muy poco dinero comienzan por la asignatura más difícil: el *trading,* o la operativa a muy corto plazo, intentando aprovechar todas y cada una de las reacciones al alza, que tenga una **tendencia alcista.** Y es lógico que así sea. Decía Kostolany que quien tiene muy poco dinero tiene que jugar en bolsa. Quien tiene bastante dinero, digamos unos miles de euros, debe de especular y quien tiene muchísimo dinero, tiene que invertir.

La diferencia entre el especulador y el inversor es su horizonte temporal. Para el primero, el plazo de una inversión lo marca el mercado y mantiene un valor en cartera en tanto que la tendencia de éste sea alcista. Para el segundo, su **horizonte temporal** puede ser, por ejemplo, el año de jubilación y no está entrando y saliendo en cada fase del mercado.

Invierta el dinero que no necesite.

Hay un aforismo bursátil que el inversor en bolsa debe conocer y respetar: quien vende por necesidad, pierde por obligación. El dinero que vayamos a necesitar en un futuro próximo, o muy próximo, hay que rentabilizarlo en activos distintos a la bolsa. Meterse en bolsa para tres meses supone correr el riesgo de coger un **tramo bajista** y tener que vender con fuertes pérdidas, cuando hubiésemos podido obtener unas buenas plusvalías si hubiésemos esperado tres meses más.

Y por supuesto, jamás se endeude para invertir en bolsa.

Adaptado del artículo de José A. Fernández Hodar. Expansión

- Resume el contenido de este artículo.
- Busca información sobre las inversiones a corto, medio y largo plazo. ¿Por qué crees que las de medio plazo son más rentables? ¿Y las de corto más difíciles?
- Explica el significado de las expresiones en negrita.
- ¿Estás de acuerdo con los consejos? Analiza las ideas y justifica tus opiniones.

16 **Presta atención a los siguientes titulares de periódicos y contesta a las cuestiones que se plantean.**

- ¿De qué hablan estos titulares? ¿Qué te llama la atención de ellos?
- ¿Te parece que las palabras marcadas corresponden al lenguaje de los negocios?
- ¿Qué opinas de que la economía emplee términos procedentes de otras áreas de conocimiento como la medicina o el deporte? ¿Cuál crees que es la razón?
- Busca otros ejemplos similares en la prensa y coméntalos con tus compañeros.

La **trepidante escalada** de los precios

La bolsa mantiene **encefalograma plano**

El mercado de valores mantiene un **ritmo descendente**

Cierre de infarto en el IBEX 35

Recuperación de los valores al cierre

Luctuosa jornada en las bolsas europeas

Los valores en **caída libre**

Las energéticas mantienen las **cotizaciones estancadas**

La **alta volatilidad** del mercado impide un registro positivo

Fluctuaciones en el parquet

17 **Acude a cualquier periódico económico y busca entre sus noticias palabras que deriven de los siguientes términos.**

Renta

Competencia

Producto

Inversor

Riesgo

Finanzas

Empresa

Bolsa

Porcentaje

Emprendedor

A B C CONSTRUYE TU GRAMÁTICA

¿Qué sufijos utilizan las palabras nuevas?

18 **¿Eres buen inversor? Ten en cuenta la siguiente información y... ¡a invertir!**

✓ Imaginad que acabáis de recibir una herencia de 30 000 de un tío paterno muy aficionado a la bolsa. En su testamento vuestro tío ha especificado que para recibir el dinero tenéis que cumplir las siguientes condiciones:

- Disponéis de 3 semanas para "jugar a bolsa".
- Debéis invertir 15 000 en 5 empresas del IBEX 35.
  - Si pasadas 3 semanas habéis conseguido conservar los 15 000, recibiréis los 15 000 restantes.
  - Si habéis perdido un 10 % de vuestra inversión, recibiréis el 10 % menos de los restantes 15 000, y así sucesivamente.
  - Si, por el contrario, conseguís beneficios, estos se añadirán a la cantidad de 15 000.

✓ Pensad bien en vuestra inversión, estudiad el comportamiento de las empresas en el último año, elegid los valores y después de tres semanas comprobad cuáles han sido los resultados.

19 **Presta atención a las siguientes imágenes y contesta.**

- ¿Conoces estas monedas? ¿De qué país son?
- ¿Quiénes son las personas de las monedas?
- ¿Qué otro tipo de personajes suelen aparecer?
- ¿Qué significa la expresión "acuñar moneda"?

20 **Lee el siguiente texto y contesta a las preguntas.**

Real Casa de la Moneda
Fábrica Nacional
de Moneda y Timbre

Desde su creación en 1893, al fusionarse la Casa de la Moneda y la Fábrica del Sello, la Fábrica Nacional de Moneda y Timbre-Real Casa de la Moneda (FNMT-RCM) ha adquirido un amplio conocimiento y una sólida experiencia en el sector de la seguridad, garantizando de un modo único la calidad de sus productos.

Adscrita al Ministerio de Hacienda y de Obras Públicas, se trata de una empresa de servicio público dedicada a la fabricación de monedas, billetes, timbres, documentos oficiales como el documento nacional de identidad o el pasaporte, y cartones de bingo y billetes de lotería. Actúa, además, como prestador de servicios de certificación.

Todas las líneas de fabricación están dotadas de los más sofisticados sistemas electrónicos y de rigurosos procedimientos de control que garantizan la supervisión total de la producción. Gran parte de los productos ofrecidos por la entidad resultan imprescindibles para la actividad económica española y para el funcionamiento de la Administración del Estado.

De igual manera, se ofrece a empresas del ámbito privado un gran abanico de productos y servicios que aportan un importante valor añadido y una calidad reconocida con el certificado de Registro de Empresa ER 0039/1996, conforme a las exigencias de la Norma UNE- EN ISO 9001:2008.

De este modo, la FNMT- RCM se sitúa como una de las imprentas líder a nivel mundial en el entorno de las nuevas tecnologías de seguridad.

Adaptado de: https://www.fnmt.es/documents/10179/23912/Mini+Catalogo+de+Productos/fcfb6cd1-916b-4fff-af42-93d5bbcf68f6

- ¿Sabrías decir cómo se llama la Institución que "fabrica el dinero" en tu país?
- ¿A qué se dedica la Fabrica Nacional de Moneda y Timbre Real Casa de la Moneda?
- ¿Se pueden visitar estos edificios? ¿Por qué crees que puede ser interesante visitarlos?
- ¿Crees que la población general suele tener formación en temas de economía?

21 ¿Qué sabes de La Bolsa de Madrid? Lee la siguiente información.

La Bolsa de Madrid fue creada en 1831, por lo que sus 180 años de historia la convierten en una de las instituciones financieras más antiguas de España.

A lo largo de su dilatada historia, la Bolsa de Madrid ha jugado un papel decisivo en el desarrollo del país, alternando grandes periodos de apogeo industrial y económico con otros de crisis y depresión, pero siempre actuando de fiel barómetro del desarrollo económico de España.

Actualmente La Bolsa de Madrid ocupa la quinta plaza a nivel mundial (y la primera de Europa) por el valor de las Ofertas Públicas de Venta (OPV) de acciones, con un volumen de 9400 millones de dólares (8639 millones de euros al cambio actual). Según los datos de la consultora Ernst & Young, el *ranking* lo lidera la Bolsa de Hong Kong, con 19,99 millones de dólares, seguida por la de Shanghai (16 800 millones), Nueva York (14 300 millones) y el mercado nipón del Nasdaq

(11 100 millones de euros). Madrid ocupa el quinto lugar superando a Londres, que ha captado 7700 millones de euros en lo que va de año.

En las salidas a bolsa, el lanzamiento de nuevos productos cotizados, el anuncio de operaciones financieras, los aniversarios de compañías, etc., se celebra el acto de la apertura de honor, con gran tradición y popularidad del mercado bursátil, consistente en el toque de campana en el mismo Parquet de contratación,

" ....pues sabido es que la contratación se abre y se cierra a horas fijas y a toque de campana...".

Adaptado de: https://www.bolsamadrid.es/esp/aspx/Empresas/Eventos/Eventos.aspx?CodBolsa=BMadrid

- Elige otra de las bolsas relevantes en el sistema económico mundial y escribe un texto similar al anterior.

22 Explora la página de la Bolsa de Madrid **www.bolsamadrid.es** y, en grupos, buscad las empresas del IBEX 35. Seleccionad una de ellas y recopilad información. Preparad una presentación sobre la historia y trayectoria de dicha empresa en la bolsa. Aquí tienes un ejemplo:

Inditex es un grupo de distribución de moda que nació en 1963 como una fábrica de ropa femenina y actualmente cuenta con más de 7700 tiendas en cinco continentes. Su trayectoria empezó en 1975 con la apertura de la primera tienda Zara, y el arranque de su expansión internacional a finales de los años ochenta y el lanzamiento de nuevos formatos de moda: Pull&Bear, Massimo Dutti, Bershka, Stradivarius, Oysho, Zara en una organización que abarca todos los procesos de la moda (diseño, fabricación, distribución y venta tiendas propias).

Inditex cotiza en bolsa desde 2001 y forma parte de índices bursátiles como IBEX 35, STOXX y Europe 600 e índices de sostenibilidad como FTSE4Good y Dow Jones Sustainability.

En 2015, reportó ventas por valor de un total de 20 900 millones de euros, un crecimiento del 15,4 % con respecto al ejercicio anterior. La cadena del grupo Inditex que más creció fue Zara Home, que elevó su facturación el 21,5 %. En el mismo año, la compañía ha realizado 330 aperturas netas en 56 países, hasta terminar el ejercicio con un total de 7013 tiendas distribuidas en 88 mercados distintos y una plantilla de 152 854 personas.

Inditex fue la tercera empresa española de la historia en valer 100 000 millones en bolsa, alcanzando un valor bursátil de 107 789 millones de euros.

CURIOSIDADES

Las grandes empresas como Inditex gestionan parte de sus beneficios a través de fundaciones y los dedican a obras sociales. Así, la Fundación Amancio Ortega destina grandes sumas a organizaciones no gubernamentales (ONG). Estás donaciones, que permiten desgravar a Hacienda, refuerzan el compromiso de las empresas con la sociedad y mejoran su imagen.

✓ *¿Conoces alguna otra empresa que destinen parte de sus beneficios en promover obras sociales?*

Este guion puede ayudarte a realizar tu tarea:
- Fecha de creación.
- Sector en el que desarrolla su actividad.
- Volumen de ventas.
- Evolución de su cotización en bolsa.
- Posición y valor bursátil.

✓ CHEQUEANDO...

Redacta una frase con los siguientes términos: renta, fondo e inversor.

Cita 3 productos financieros que puedes contratar en un banco.

¿Qué es un préstamo hipotecario?

Cita tres tipos de cuentas bancarias.

¿Qué son las perdidas en bolsa? ¿Y las ganancias? Busca sinónimos.

¿Qué es el mercado de valores?

Explica a qué llamamos ÍNDICE BURSÁTIL.

Da 3 consejos para invertir.

DOSSIER GRAMATICAL ☐ ☐ ☐

ESTRUCTURAS VALORATIVAS CON SER

- La estructura *ser + adjetivo + que subjuntivo/infinitivo* puede servir para establecer juicios de valor.

  Es aconsejable tener la clave para poder operar por internet.

  Es recomendable no invertir mucho dinero en bolsa si no se sabe cómo.

- Puede utilizarse con infinitivo o con *subjuntivo* dependiendo de si se refiere a algo general o si tiene un sujeto personal.

  Es malo no leer la letra pequeña de los productos financieros.

  Es bueno que no confíes demasiado en los bancos.

PETICIONES FORMALES

- Me gustaría...
- Le ruego...
- Podría...
- Querría...
- ¿Sería posible...
- ¿Habría posibilidad de...

EXPRESAR FINALIDAD

- La finalidad marca el objetivo que tienen nuestras acciones. Hay muchos nexos finales, pero el más empleado es "para". Puede utilizarse con indicativo o con subjuntivo.

  El banquero nos ha llamado para pedirnos nuestros datos personales.

  Llamemos al banco para que nos faciliten el horario de atención al cliente.

MANOS A LA OBRA...

Un matrimonio dialoga sobre qué hacer con un dinero que han recibido por un trabajo que han realizado. En parejas, representad la conversación.

A

Eres una mujer a la que preocupa mucho el futuro. Cuentas con un dinero y quieres invertirlo de forma segura.

- Quieres contratar un producto que te proporcione rentabilidad a largo plazo.
- Valoras que te ofrezca un interés alto.
- Te gustaría invertir en un solo producto.
- Quieres confiar en tu banco de siempre.
- Prefieres hacer las operaciones en una oficina.
- No tienes ni idea del funcionamiento de la bolsa.

B

Eres un hombre impaciente, que vive el presente. Cuentas con un dinero y piensas en la manera de sacarle rentabilidad.

- Estás pensando en un producto con rentabilidad a corto plazo.
- Valoras tener liquidez.
- No tienes inconveniente en contratar diferentes productos.
- Estás dispuesto a escuchar ofertas de varias entidades.
- Prefieres hacer las operaciones sin moverte de casa.
- Tienes muchos conocimientos del funcionamiento de la economía.

Cuaderno de Actividades

1 Relaciona las definiciones con los términos.

a) empresa pública

b) empresa nacional

c) multinacional

d) empresa mixta

e) microempresa

f) empresa privada

1) Empresa comercial que es propiedad de inversores privados, no gubernamentales, accionistas o propietarios.

2) Empresa que no es privada en su totalidad ya que, parte del dinero que utiliza para financiarse proviene del estado.

3) Empresa estatal que es propiedad del estado, ya sea de un modo total o parcial.

4) Es aquella cuyo campo de actuación viene representado por la totalidad del territorio nacional, aunque tenga su sede en una localidad concreta.

5) Es la formada por un número limitado de trabajadores y cuya facturación no sobrepasa los dos millones de euros.

6) Opera en diferentes países de todo el mundo y no solo exporta, sino que su presencia en el exterior es sólida, con centros de producción y distribución en el país de destino.

2 ¿Conoces estas empresas? Investiga sobre ellas y escribe un pequeño texto explicando sus características, tipo de empresa, sector al que pertenecen, facturación, etc.

3 **Lee el siguiente texto sobre el sector terciario en España y contesta a las preguntas.**

El sector terciario

El sector terciario es el que ha crecido más en los últimos años hasta convertirse en el más importante dentro de la economía española, algo que también ha sucedido en otros países de nuestro entorno. Dicho crecimiento se ha debido a una serie de causas como el aumento del nivel de vida y cambios en los hábitos sociales (que provocan un aumento en la demanda de servicios) y la diversificación de este sector (aparecen las administraciones autonómicas y europea, hay una especialización de algunas tareas empresariales como el *marketing,* la informática, las finanzas, etc.). Actualmente el sector terciario aporta un 71,6 % del PIB español y el 72,8 % del empleo actual, hechos que nos permiten afirmar su importancia en el contexto nacional.

En lo referente al turismo, uno de los pilares del sector terciario, desde 1960 en España se ha producido un auténtico despegue tanto del turismo nacional como el internacional, lo que nos ha llevado a estar entre los tres principales destinos del mundo. De hecho, es uno de los sectores clave de nuestra economía, ya que supone un 11 % del PIB y genera un 12 % del empleo, contribuyendo, con estas cifras, a equilibrar el déficit comercial y las cifras del paro, sobre todo el estacional.

A este desarrollo del turismo han contribuido una serie de factores favorables como son las buenas condiciones naturales (clima y playas), la riqueza monumental de nuestras ciudades (museos y ciudades patrimonio), una situación política y social estable que genera seguridad, la calidad y variedad de las infraestructuras turísticas, el aumento del nivel de vida y la cercanía a la clientela europea, entre otras causas.

Los tipos de turismo que podemos encontrar son:

- El tradicional de sol y playa que se centra sobre todo en las costas del Mediterráneo y en las Canarias.
- El cultural: museos en Madrid y Barcelona, ciudades monumentales como Salamanca, Córdoba, Granada, Toledo, Cáceres, etc.
- El rural y de naturaleza, que ha aparecido en los últimos años como alternativa.
- El de negocios y congresos.
- El deportivo.

El turismo presenta, sin embargo, una serie de problemas y retos. El primero de ellos es la superación de un modelo de sol y playa, caduco en algunos aspectos, puesto que hay que buscar alternativas siendo un turismo muy estacional. Además, hay que apostar por la calidad, dada la dura competencia que plantean el resto de países mediterráneos. Finalmente, se necesitarían abordar los problemas medioambientales y de uso del espacio que plantea el turismo en nuestro país.

Adaptado de: https://sites.google.com/site/eraselahistoria2/indice-de-contenidos/7-la-economa-en-espaa-y-andaluca/4-caractersticas-del-sector-terciario-espaol

a) ¿Qué es el sector terciario? ¿Por qué ha crecido en los últimos años?
b) ¿Qué importancia tiene el turismo en el sector terciario? ¿Y en España?
c) ¿Cuáles son las causas de su desarrollo en los últimos años?
d) ¿Qué tipos de turismo existen? ¿En qué se parecen y diferencian? ¿Cuál es tu preferido?
e) ¿Cuáles son los retos del turismo?

4 Completa el siguiente texto con los verbos entre paréntesis en imperfecto.

Actividad económica española en el siglo XIX

A comienzos del siglo XIX, España _____ (ser) un país básicamente rural. La agricultura, la más importante de las actividades económicas, _____ (permitir) crear un excedente de productos alimenticios que _____ (servir) para dar de comer a la gente de las ciudades. Sin embargo, la agricultura española no _____ (llevar) a cabo satisfactoriamente todas sus funciones y pronto se produjo un retraso de la modernización económica del país.

Este estancamiento se _____ (deber) a factores naturales y geográficos, por un lado, y a factores sociales y culturales, por otro. Entre todos ellos _____ (destacar) la desigual distribución de la tierra. No obstante, casi todos los países europeos _____ (tener) características similares. La agricultura española _____ (estar) condicionada por la distribución de la propiedad (latifundio y minifundio), la calidad de las tierras y la climatología.

Aunque la Revolución Industrial tardó en triunfar, algunos factores _____ (ayudar) a su desarrollo: se _____ (construir) redes ferroviarias, se _____ (introducir) mejoras en el sistema educativo, se _____ (reformar) el sistema monetario, se _____ (desarrollar) y _____ (modernizar) algunas industrias, etc. En definitiva, se _____ (estar) produciendo el proceso de industrialización.

5 Inventa una frase utilizando cada una de las siguientes perífrasis.

a) Poder + infinitivo: _____

b) Deber + infinitivo: _____

c) Comenzar a + infinitivo: _____

d) Llegar a + infinitivo: _____

e) Dejar de + infinitivo: _____

f) Seguir + gerundio: _____

g) Seguir sin + infinitivo: _____

6 Completa las siguientes frases con la preposición adecuada.

a) Confía _____ las posibilidades del proyecto, todo irá bien.

b) Están preocupados _____ la falta de beneficios de la empresa.

c) La subida de los impuestos influirá _____ la subida de los precios.

d) La multinacional cuenta _____ sedes en cinco países diferentes.

f) Para hacer el estudio de mercado de este año, hay que partir _____ un análisis de los datos actuales.

g) Mariana se dedica _____ la compraventa de coches.

h) Recursos Humanos ha renunciado _____ contratar nuevos empleados por la falta de capital.

i) Los publicistas tratan _____ ganar clientes con sus campañas de *marketing*.

j) Han decidido invertir _____ nuevas tecnologías para renovar el departamento.

7 Observa la siguiente factura y contesta a las preguntas sobre ella.

FACTURA Nº 135/2017

ILUSTRACIONES MARÍN
Plaza de la Rebolleda, 15
28000 Madrid
CIF: 9873498273498-R

Factura para: EMS Construcciones
Calle de la Paz S/N
Polígono industrial 13
28029, Madrid
Telf: 911 55 66 77
CIF: 349789993349-W

CONCEPTO	CANTIDAD	PRECIO	IMPORTE
Pintura plástica	20	2,50 €	50 €
Pintura permanente azul	20	3,50 €	70 €
Pintura permanente negra	20	3,50 €	70 €
IMPORTE BRUTO			190 €
IVA (21 %)			39,9 €
IMPORTE NETO			**229,9 €**

El pago de la factura se realizará antes de 10 días hábiles mediante transferencia bancaria a la entidad BANCO MONETARIO, al Nº DE CUENTA (20 DÍGITOS): 23452345234523452345.

Firma:
PONER UNA FIRMA Y SELLO

a) ¿Quién es el emisor?
b) ¿Y el receptor?
c) ¿Qué número tiene la factura?
d) ¿Qué productos se facturan?

e) ¿Con qué IVA están gravados?
e) ¿Qué significa "importe bruto"?
f) ¿Cómo debe abonarse?
g) ¿En qué plazo?

8 Señala el valor del presente en las siguientes oraciones.

a) Mañana por la tarde tenemos una reunión con los nuevos socios.
b) Iberia se funda en 1927 con el nombre de *Iberia. Compañía Aérea de Transporte.*
c) El Sr. Pérez viene la semana que viene a firmar los nuevos contratos.
d) Cuando surge la empresa, solo tiene tres socios. Después, se amplia a cuatro.
e) Juan toma algo con sus compañeros en la cafetería.
f) El viernes conocemos a la directora financiera. ¡Qué nervios!
g) La directora está en su despacho, en la planta tercera.
h) El euro se convierte en la moneda de Europa en el año 2000.
i) Salimos ahora mismo de trabajar. Ya es la hora.
j) El mes que viene se dan los premios a los emprendedores del año.

1 **Relaciona los siguientes puestos de trabajo con su definición.**

a) Auxiliar administrativo   b) Subdirector   c) Supervisor de calidad

d) Secretaria de dirección   e) Responsable de ventas

1) Su tarea consiste en examinar y controlar el proceso de producción para que la calidad final del producto sea la correcta.

2) Trabaja en el departamento que registra las ventas. Es la persona que se encarga de establecer los objetivos del departamento, establecer los presupuestos y coordinar al equipo de comerciales.

3) Es la persona que ocupa el segundo puesto en el organigrama por debajo del director y que lo sustituye en determinadas ocasiones.

4) Se encarga de ayudar a mantener el correcto funcionamiento de las oficinas. Hace fotocopias, clasifica documentos, realiza llamadas de teléfono, etc.

5) Trabaja mano a mano con el director. Se encarga de llevar su agenda, escribir su correspondencia, atender personalmente sus asuntos, etc.

2 **Relaciona con flechas las siguientes funciones con los departamentos que las realizan.**

a) Investiga el mercado.
b) Atiende a la cartera de clientes.
c) Gestiona las nóminas y los seguros sociales de los trabajadores.
d) Se encarga de la imagen del producto y su promoción.
e) Selecciona al personal.
f) Diseña las estrategias competitivas.
g) Visita nuevos clientes.
e) Trata con los sindicatos.

COMERCIAL/VENTAS

RECURSOS HUMANOS

MARKETING

3 **Consulta los contenidos de la unidad y escribe una definición para estos términos.**

Agentes sociales: _____

Patronal: _____

Sindicatos: _____

4 **Lee el siguiente texto y contesta a las preguntas.**

Comisiones obreras

La Confederación Sindical de Comisiones Obreras, más conocida como Comisiones Obreras o CC. OO., es actualmente la primera fuerza sindical en España por número de afiliados y por delegados en las elecciones sindicales. Según sus estatutos CC. OO. se define como un sindicato: reivindicativo, de clase, unitario, democrático, independiente, participativo, de masas, de hombres y mujeres, sociopolítico, internacionalista, pluriétnico y multicultural. Ideológicamente, se orienta hacia la supresión de la sociedad capitalista y la construcción de una sociedad socialista democrática.

CC. OO. es por tanto un sindicato sociopolítico que, además de reivindicar la mejora de las condiciones de trabajo y de vida, asume la defensa de todo aquello que nos afecta como trabajadores, dentro y fuera de la empresa. Es, además, un sindicato que actúa de manera autónoma e independiente de los poderes económicos, del estado y de cualquier otro interés ajeno a sus fines, y también de los partidos políticos. Al ser una asociación sindical democrática, está formada por trabajadores que se afilian de forma voluntaria y solidaria para defender los intereses comunes y para conseguir una sociedad más justa, democrática y participativa.

Este sindicato se organiza, desde el punto de vista del territorio, a nivel estatal, comarcal, provincial, regional y nacional en uniones regionales o confederaciones. Igualmente, y de forma paralela, se organiza en el plano sectorial, desde la sección sindical en la empresa hasta la federación estatal. De esta manera se estructura en federaciones tales como Enseñanza, Industria, Pensionistas y Jubilados, Servicios a la Ciudadanía, etc., entre otras. Sus órganos de decisión, a nivel confederal, son el Congreso Confederal, el Consejo Confederal y la Comisión Ejecutiva Confederal.

a) ¿Qué significa "afiliado"? ¿Y qué son los "estatutos"? _____
_____

b) Vuelve a leer la definición que hace CC. OO. de sí misma en sus estatutos y explica con tus palabras que significan los siguientes términos:
- reivindicativo: _____
- democrático: _____
- independiente: _____
- multicultural: _____

c) ¿Cuál es la función de este sindicato? _____
_____

d) ¿Cómo se organiza? _____
_____

5 **Completa los nombres de los siguientes objetos.**

1   **2**   **3**   **4**   **5**

_____   _____   _____   _____   _____

6 ¿Con qué objeto puedes...

a) recortar un papel? _____

b) imprimir un correo electrónico? _____

c) subrayar una frase? _____

d) hacer una suma y una resta? _____

e) escribir una nota en un papel? _____

7 Completa las siguiente conversación telefónica con las frases de la derecha.

● _____

▪ Hola, buenos días.

● Buenos días, _____

▪ ¿Podría hablar con el señor Jiménez?

● _____

▪ De parte del Sr. Guerra.

● Sr. Guerra, disculpe, pero no está. _____

▪ Más tarde me va a ser imposible llamarle.

● _____

▪ Es urgente, la verdad.

● Ahora mismo está en una reunión. Por favor, déjeme su teléfono y así _____

_____

▪ Muy bien, tome nota. 67896548906.

● Muy bien, muchas gracias, Sr. Guerra.

> - ¿De parte de quién?
> - ¿Dígame?
> - ¿En qué puedo ayudarle?
> - ¿Puede llamar más tarde, por favor?
> - ¿Quiere dejar un recado?
> - Se pondrá en contacto con usted.

8 Sustituye lo que aparece subrayado por el pronombre adecuado.

a) El cliente recibió los productos de la nueva colección.→ *El cliente los recibió.*

b) La secretaria dio el recado al presidente.

c) En la reunión trataron muchos temas importantes.

d) María envió una nota interna a una compañera.

e) El cartero trajo una carta urgente al gerente.

f) El departamento de Recursos Humanos contrató a un nuevo ayudante.

g) El becario preparó las fotocopias a su jefe.

h) Por favor, imprime copias a todos los asistentes de la reunión.

i) ¿Sabes si nos van a dar ya la paga extraordinaria?

j) Mañana por la mañana os contarán las novedades de los contratos.

9 Revisa las siguientes frases y di si el uso de los pronombres es correcto o no. Explica por qué.

a) El correo electrónico, lo miro todas las mañanas al llegar al trabajo.

_____

b) Le dimos la nueva agenda de trabajo al encargado.

_____

c) Lo preparé el pedido para enviarlo antes de las 12.

_____

d) El desayuno, no lo hemos bajado a tomar todavía.

_____

e) Me gustaría que me dieras los informes a mí directamente.

_____

f) Le facilitaré los resultados de la encuesta al gerente.

_____

g) A mí me gusta tener todos los papeles de la mesa ordenados.

_____

10 Imagina que has sido despedido de manera improcedente en tu último trabajo. Escribe una carta a los sindicatos explicando las causas del despido, y pidiendo posibles soluciones a tu situación.

1 **Escribe los acrónimos de las siguientes instituciones.**

a) Organización de las Naciones Unidas: _____

b) Fondo Monetario Internacional: _____

c) Banco Mundial:_____

d) Unión Europea:_____

e) Alto Comisionado de las Naciones Unidas para los Refugiados:_____

f) Organización para la Cooperación y Desarrollo Económico: _____

g) Organización Mundial de la Salud:_____

h) Organización no gubernamental: _____

i) Organización de las Naciones Unidas para la Educación, la Ciencia y la Cultura: _____

2 **Lee las siguientes oraciones y señala el valor (probabilidad en el presente, futuro) que hay en ellas.**

a) El cliente llegará sobre las 12 de la mañana. Le haremos esperar aquí.

b) Juan estará en la cafetería porque no lo veo en su despacho.

c) Las ventas de esta empresa subirán en los próximos meses gracias a su plan de mejora.

d) ¿Subirás después al cóctel de bienvenida?

e) Margarita tendrá el día libre porque hoy no ha venido a trabajar.

f) Los resultados de la encuesta saldrán lo antes posible.

g) El mes que viene traerán el nuevo mobiliario para la oficina.

h) El director estará enfadado con su secretaría porque hoy aún no le ha pedido nada.

i) Serán las 9 de la mañana, porque casi todos los trabajadores están ya aquí.

j) Esta tarde iremos a hablar con el nuevo encargado del Departamento de Ventas.

3 **Vuelve a leer los contenidos de la unidad y escribe 6 predicciones sobre cómo serán algunos de los países que se mencionan dentro de 20 años. ¿Cambiarán mucho? Utiliza el futuro.**

a) _____

b) _____

c) _____

d) _____

e) _____

f) _____

Negocios internacionales

4 Lee con atención el primer artículo que se recoge en la Constitución de de la Organización de las Naciones Unidas para la Educación, la Ciencia y la Cultura (UNESCO) y realiza las actividades.

Artículo I

Propósitos y funciones

1. La Organización se propone contribuir a la paz y a la seguridad estrechando, mediante la educación, la ciencia y la cultura, la colaboración entre las naciones, a fin de asegurar el respeto universal a la justicia, a la ley, a los derechos humanos y a las libertades fundamentales que sin distinción de raza, sexo, idioma o religión, la Carta de las Naciones Unidas reconoce a todos los pueblos del mundo.

2. Para realizar esta finalidad, la Organización:

a) Fomentará el conocimiento y la comprensión mutuos de las naciones prestando su concurso a los órganos de información para las masas; a este fin, recomendará los acuerdos internacionales que estime convenientes para facilitar la libre circulación de las ideas por medio de la palabra y de la imagen;

b) Dará nuevo y vigoroso impulso a la educación popular y a la difusión de la cultura: Colaborando con los Estados Miembros que así lo deseen para ayudarles a desarrollar sus propias actividades educativas; Instituyendo la cooperación entre las naciones con objeto de fomentar el ideal de la igualdad de posibilidades de educación para todos, sin distinción de raza, sexo ni condición social o económica alguna; Sugiriendo métodos educativos adecuados para preparar a los niños del mundo entero a las responsabilidades del hombre libre;

c) Ayudará a la conservación, al progreso y a la difusión del saber: Velando por la conservación y la protección del patrimonio universal de libros, obras de arte y monumentos de interés histórico o científico, y recomendando a las naciones interesadas las convenciones internacionales que sean necesarias para tal fin; Alentando la cooperación entre las naciones en todas las ramas de la actividad intelectual y el intercambio internacional de representantes de la educación, de la ciencia y de la cultura, así como de publicaciones, obras de arte, material de laboratorio y cualquier documentación útil al respecto; Facilitando, mediante métodos adecuados de cooperación internacional, el acceso de todos los pueblos a lo que cada uno de ellos publique.

3. Deseosa de asegurar a sus Estados Miembros la independencia, la integridad y la fecunda diversidad de sus culturas y de sus sistemas educativos, la Organización se prohíbe toda intervención en materias que correspondan esencialmente a la jurisdicción interna de esos Estados.

a) ¿Cuál es el cometido fundamental de la UNESCO? _____
_____

b) ¿Qué medidas llevará a cabo para lograrlo? Resúmelas. _____
_____

c) ¿Qué significa el "ideal de la igualdad"? _____

d) ¿Cuáles son los estados miembros de la UNESCO? Busca información. _____
_____

5 **Forma el presente de subjuntivo de los siguientes verbos.**

HACER	LLEGAR	DIRIGIR	SALIR	QUERER	PREFERIR

6 **Relaciona los siguientes organismos oficiales de la UE con sus funciones y características.**

1) Mantiene la estabilidad de los precios.
2) Investiga las reclamaciones contra las instituciones.
3) Aprueba la legislación de la UE.
4) Establece la política exterior y de seguridad común de los países miembros.
5) Gestiona el euro.
6) Tiene competencias de supervisión y presupuestarias.
7) Propone las leyes que protegen los intereses de la UE.
8) Define la orientación y las prioridades políticas de la UE.
9) Es el órgano ejecutivo, políticamente independiente, de la UE.

a) Parlamento Europeo

b) Consejo Europeo

c) Comisión Europea

d) Banco Central Europeo

e) Defensor del Pueblo Europeo

7 **Lee la siguiente información sobre los horarios en España, Francia e Italia, e inventa frases utilizando las estructuras comparativas.**

_____
_____
_____
_____
_____
_____
_____

USO DEL TIEMPO POR PAÍSES

	ESPAÑA	ITALIA	FRANCIA
6:00	Dormir	Dormir	Dormir
7:00		Desayuno	Desayuno
8:00	Desayuno*		
9:00			
10:00		Trabajo	Trabajo
11:00			
12:00	Trabajo		
13:00		Comida	Comida
14:00			
15:00	Comida		Trabajo
16:00		Trabajo	
17:00			
18:00	Trabajo		
19:00			Cena
20:00		Cena	
21:00			
22:00	Cena	TV e Internet	TV e Internet
23:00	TV e Internet		
00:00		Dormir	Dormir
	Dormir		

*Variable: de 7:30-8:30 a10:00-10:30)

Fuent. Eurostat

8 Completa con los verbos en infinitivo o en subjuntivo según corresponda. Añade que cuando sea necesario.

a) Necesitamos _____ (ayudar, vosotros) con la campaña de *marketing*.

b) ¿Quieres _____ (ir, nosotros) a hablar con el Departamento de Ventas?

c) El jefe me pide siempre _____ (coger, yo) los recados.

d) Espera _____ (poder, él) ir a la comida de Navidad de la empresa.

e) Os deseamos _____ (tener, vosotros) unas felices vacaciones.

f) Desde el Departamento de Ventas nos requieren _____ (hacer, nosotros) un informe.

g) Mariano sugiere _____ (celebrar, Mariano) la reunión el martes que viene.

h) ¿Me recomiendas _____ (hacer, yo) una presentación en Power Point?

i) Necesito _____ (terminar, yo) este trabajo antes de las 10.

j) ¿Quieres _____ (descansar, tú) un rato para tomar un café?

9 ¿Sabes cómo se llaman estas acciones? Escribe su nombre.

Dar la mano _____ _____ _____ _____

_____ _____ _____ _____

10 ¿Cuál es tu país? ¿A qué organismos mundiales pertenece? Escribe una redacción en donde expliques la importancia de tu país en la economía mundial y las ventajas que tiene para él pertenecer a diferentes organismos.

1 **Define y explica las palabras seleccionadas en el contexto del texto.**

Con la consolidación de la era digital, ha cambiado la forma de búsqueda de empleo. La selección de personal ha pasado de estar centrada en la empresa a girar en torno al **candidato**. Un 32,8 % de la población mundial son mileniales, hijos de la crisis que dominan la tecnología y valoran las experiencias por encima de la estabilidad para toda la vida. Esta generación nacida entre 1980 y 2000 ha cambiado los hábitos de vida y las empresas se han visto obligadas a renovarse.

Actualmente, los jóvenes investigan a las compañías que les interesa a través de internet, redes sociales y su círculo de confianza para adaptar su candidatura. Ante esta nueva realidad, solo las empresas mejor posicionadas y las que posean unos valores corporativos que motiven conseguirán atraer **talento**. El altísimo nivel de **competencia** exige desarrollar estrategias para atraer y favorecer la retención de talento.

Según las cifras, esta **tendencia** ya está consolidada: alrededor de un 73 % de los puestos de trabajo se obtienen a través de la red de contactos del empleado, bien por **referencias**, bien por la autocandidatura del trabajador, según un estudio conjunto de Adecco e Infoempleo.

Resumen del artículo del Observatorio de Recursos Humanos

A) CANDIDATO _____

_____

B) TALENTO _____

_____

C) COMPETENCIA _____

_____

D) TENDENCIA _____

_____

E) REFERENCIA _____

_____

_____

2 Selecciona las siguientes palabras y colócalas donde corresponda.

Flexible   Adaptable   Multicultural   Comercial   Proactivo   Media jornada

Competente   Eficaz   Técnico   Administrativo   Responsable

HORARIO	ACTITUDES	CAPACIDADES

3 Coloca en los espacios en blanco el tipo de contrato adecuado:

Contrato indefinido   Contrato temporal   Contrato en prácticas

Contrato de formación   Período de prueba

a) Estoy esperando a final de mes para que me renueven mi _____ .

b) Durante mi formación de tres meses, tendré un _____ .

c) Llevo 5 años trabajando en la misma empresa y tengo un _____ .

d) En junio termino mis estudios y empiezo a trabajar con un _____ .

e) Después de tres años de _____, por fin he conseguido mi _____ .

f) El contrato incluye un _____ de 1 año.

g) La empleada de caja no superó el _____ y fue despedida.

h) El _____ tiene unas condiciones especiales mientras dura el aprendizaje.

4 Utiliza **SER** o **ESTAR** según el adjetivo.

a) _____ ambicioso

b) _____ capacitado

c) _____ constante

d) _____ puntual

e) _____ entusiasmado

f) _____ satisfecho

g) _____ eficaz

h) _____ atrevido

i) _____ competente

j) _____ preparado

5 Coloca los adjetivos del ejercicio anterior y otros que conozcas según encajen en las perfiles siguientes:

ADMINISTRATIVO

COMERCIAL

EMPRESARIO/EMPRENDEDOR

6 Haz una lista con las ventajas y los inconvenientes de EMPRENDER un negocio.

VENTAJAS	INCONVENIENTES

7 Escribe los verbos entre paréntesis en Pretérito Perfecto o Indefinido.

Mi formación y mi experiencia profesional son muy completas y solo tengo 26 años.

(Estudiar) _____ en la Universidad Politécnica una ingeniería. Después de graduarme, (empezar) _____ un máster que (terminar) _____ hace dos años.

Después del máster, (colaborar) _____ con una ONG y (vivir) _____ en cuatro países distintos en ocho meses, lo que (permitir) _____ tener una gran flexibilidad y ahora soy capaz de adaptarme a cualquier situación y moverme con rapidez por la ciudad.

Más tarde (aprovechar) _____ para adquirir experiencia profesional y (realizar) dos periodos de prácticas en dos empresas tecnológicas. En septiembre del año pasado me (contratar) _____ para un proyecto en Brasil que está a punto de terminar.

(Ser) _____ una etapa para formarme y tener un mejor perfil para conseguir mi objetivo laboral.

Por esta razón, me (presentar) _____ a varios procesos de selección. Estoy seguro de que mi candidatura se adecúa y espero que me llamen para hacer una entrevista.

8 Lee las siguientes frases y responde con verdadero (V) o falso (F).

	V	F
a) En un proceso de selección lo único importante es la titulación.	○	○
b) Los datos del curriculum vitae deben ser siempre verdaderos.	○	○
c) Las empresas buscan candidatos poco comprometidos, pero con mucha formación.	○	○
d) La carta de motivación es muy importante para explicar otros datos de los candidatos.	○	○
e) Las redes sociales son muy importantes para orientar en la búsqueda de empleo.	○	○
f) Los profesionales autónomos realizan su actividad profesional en áreas variadas de la economía.	○	○
g) En la entrevista no hay que cuidar la imagen, solo es importante lo que dice el CV.	○	○
h) El CV debe ser muy extenso y escribir en él toda la experiencia profesional.	○	○
i) Buscar trabajo es un trabajo.	○	○
j) Los antiguos empleos no cuentan para el nuevo trabajo.	○	○

9 Busca sinónimos de las siguientes palabras.

Salario

Empresa

Cargo

Formación

Ascenso

Empleado

10 Redacta un anuncio en el periódico para seleccionar comerciales para el Departamento de Ventas de tu empresa.

11 Escribe una carta de motivación para presentar tu candidatura a una empresa del sector inmobiliario que solicita comerciales.

12 Describe el perfil profesional para seleccionar a un director financiero para una empresa internacional. Especifica si es necesario que hable idiomas, que pueda viajar o cambiar de residencia. Explica las condiciones económicas del contrato y prestaciones.

1 **Elige el logo de una marca famosa. Dibújalo y haz una descripción de él. ¿Qué te sugiere?**

2 **Lee el siguiente texto y contesta a las preguntas.**

En 1893 el químico y farmacéutico Caled Bradham comercializó por primera vez la bebida de cola Pepsi. En su pequeña farmacia de Carolina del Norte, preparaba y vendía la conocida originalmente como Brad Drink (Refresco de (Bebida de Brad). En 1898 decidió cambiar el nombre a Pepsi Cola, ya que para su elaboración se utilizaban la enzima digestiva pepsina y las nueces de cola. El objetivo inicial era crear una bebida que ayudaba a la digestión y estimulaba. Fue en 1902 cuando registró la marca y fundó la empresa.

Inicialmente, el logotipo de Pepsi Cola era solo el nombre garabateado por el fundador de la empresa, pero pronto se rediseñó con el nuevo nombre. A partir de 1950, adquirió los colores rojo, blanco y azul de la bandera estadounidense con el nuevo logotipo. Después de varias modificaciones, el logotipo rediseñado y simplificado se usó pro primera vez en 1991. En los últimos años, se dio paso a una etiqueta más minimalista en la que el globo de Pepsi parecía una sonrisa y a una letra que presentaba otra tipografía.

Pepsi compite en el mercado con Coca-Cola. La guerra entre ambas marcas alcanzó su punto álgido en 1975, cuando Pepsi lanzó el "desafío Pepsi" a su rival, consistente en un test ciego de sabores que ganó Pepsi. No obstante, sus luchas transcendieron incluso a sus campañas publicitarias. Así, en una de ellas, Pepsi atacaba a los osos polares y al Papá Noel de Coca-Cola, ambos emblemas de la firma.

Hoy en día, Pepsi sigue por debajo de Coca-Cola en lo que a la venta de refrescos de cola "se refiere". Sin embargo, y desde que se fusionó con Frito Lay a mediados de los 60 para crear PepsiCo Inc., factura más millones anuales debido a la amplia variedad de productos que comercializa.

a) ¿Cómo y cuando se fundó la marca Pepsi?_____

_____

b) ¿Cómo era inicialmente el logotipo de Pepsi? _____

_____

c) ¿En qué consistió el "desafío Pepsi"? _____

_____

e) ¿Quién tiene ingresos superiores, Coca-Cola o Pepsi? ¿Por qué?_____

_____

3 Completa el texto con los verbos entre paréntesis en pretérito imperfecto o indefinido.

Facebook es una red social. Mark Zuckerberg _____ (crear) esta red en 2006, en los años en los que _____ (estudiar) en la Universidad de Harvard. Originalmente _____ (ser) un sitio exclusivamente para estudiantes de dicha universidad y _____ (funcionar) como medio para fomentar la comunicación y compartir contenido de forma sencilla a través de internet. Sin embargo, su proyecto _____ (ser) tan innovador y exitoso que pronto _____ (extenderse) a todos los usuarios de la red.

A mediados de 2007 Facebook _____ (lanzar) las versiones en francés, alemán y español, en las que usuarios _____ (traducir) de manera no remunerada los contenidos con el fin de impulsar la red fuera de Estados Unidos, De esta manera, Facebook _____ (alcanzar) más de 1350 millones de miembros y finalmente _____ (quedar) traducido a más de 70 idiomas.

Las principales críticas a la red social y la empresa _____ (radicar) en la supuesta falta de privacidad que sus millones de usuarios _____ (sufrir). Estas críticas _____ (crecer) en 2013, cuando _____ (salir) a la luz que la Agencia de Seguridad Nacional de Estados Unidos y otras agencias de inteligencia _____ (vigilar) los perfiles de sus miembros y sus relaciones sociales.

4 Escribe un aviso para cada una de las informaciones que se ofrecen.

- Colocación de una barrera levadiza en el *parking*.
- Días 26 y 27 de mayo.
- Entradas y salidas imposibles por las puertas este y oeste.

- Curso de formación sobre riesgos laborales.
- Apertura del plazo de inscripción para el curso.
- Días 1, 2, 3 y 4 de junio.
- Lugar: segunda planta, Departamento de RR. HH.

5 Forma los imperativos afirmativos de los siguientes verbos en la persona indicada.

a) Decir, 2ª singular _____

b) Organizar, 2ª plural _____

c) Venir, 3ª singular _____

d) Hacer, 2ª singular _____

e) Ser, 3ª singular _____

f) Estar, 2ª plural _____

h) Poner, 3ª plural _____

i) Ser, 2ª plural _____

j) Ir, 2ª singular _____

k) Preguntar, 2ª plural _____

l) Vivir, 3ª singular _____

m) Poner, 2ª singular _____

6 Da cinco consejos para cada una de estas situaciones. Utiliza el imperativo.

Asistir a una cena de negocios
• _____
• _____
• _____
• _____
• _____

Redactar un escrito empresarial
• _____
• _____
• _____
• _____
• _____

7 Completa con los verbos entre paréntesis en infinitivo o subjuntivo. Añade "que" cuando sea necesario.

a) Me encanta _____ (trabajar, yo) en esta empresa.

b) Al jefe no le gusta _____ (llegar, vosotros) tarde por la mañana.

c) Nos aburre _____ (convocar, ellos) reuniones después de comer.

d) No me importa _____ (tener, nosotros) jornada partida.

e) A ella le molesta _____ (hacer, su compañero) ruido en la oficina.

f) Nos interesa _____ (aumentar, la producción) antes de fin de año.

g) Al director general le inquieta _____ (subir, las ventas) menos de los esperado.

h) A ti te divierte mucho _____ (organizar, tú) las cenas del departamento.

i) A esta supervisora le molesta _____ (dificultar, los empleados) su trabajo.

j) A Tomás le gusta _____ (desayunar, Tomás) en la cafetería de enfrente.

8 Lee las siguientes frases y transfórmalas a estilo directo.

a) La secretara dice que tenemos una reunión con la directiva mañana a las 8.

_____

b) María anuncia que no irá a la comida de empresa del próximo viernes.

_____

c) El gerente señala que él mismo va a revisar el trabajo de su equipo.

_____

d) Mi compañero de despacho dice que no tiene prisa después del trabajo.

_____

e) El jefe de compras informa de que tiene muchos pedidos por hacer.

_____

f) Martín dice que conoce al gerente de la compañía.

_____

9 Lee los siguientes textos y elige el conector más apropiado para cada caso.

1) Son muchas las empresas que confían en la visibilidad de las redes sociales para promocionar sus negocios. **Aunque / Por un lado,** permite promocionar sus productos y promociones entre un público conocido, y **por otra parte / es decir** posibilitan llegar a consumidores potenciales. **Sin embargo / Además,** el mal uso de las mismas puede ocasionar graves perjuicios a la empresa.

2) La imagen corporativa implica la percepción subjetiva del consumidor, **es decir / así que,** si le parece buena o mala según su criterio. **Así pues / ya que** entran en juego factores psicológicos positivos y negativos. **En definitiva / para empezar,** que habrá tantas imágenes como personas interpreten la marca.

3) **Aunque / Por consiguiente** las cartas son una forma muy empleada de comunicación en las empresas, hoy en día los correos electrónicos están tomando mucha fuerza. **Sin embargo / De este** modo para las notificaciones más formales hay cierta preferencia por el empleo de la carta tradicional. **Por esta razón / Además,** es necesario conocer la estructura de la misma.

4) Cuando hablamos en público debemos ser muy cuidadosos con nuestra apariencia. **En primer lugar / Además** debemos llevar una vestimenta adecuada para la ocasión. **También / Porque** es importante la higiene personal y dar una imagen de aseo. **En definitiva / No obstante,** nuestro aspecto es una verdadera tarjeta de presentación.

10 Eres el director general de la empresa PAPELITOS, dedicada a la venta de material de oficina. Escribe una carta a uno de los trabajadores. Inventa el contenido de la misma.

1 **Define y explica las palabras seleccionadas en el contexto del texto.**

El comercio es una actividad económica del **sector terciario** que se basa en el intercambio de bienes y servicios entre diversas personas o naciones. El término también se aplica al conjunto de comerciantes de un país o una zona, o al establecimiento o lugar donde se compran y venden productos.

El comercio se desarrolla en un ámbito de **ferias**, muestras y **mercados**, cuya actividad tiende a exhibir el producto terminado y a favorecer su difusión y venta, lo que conocemos como comercialización.

Esta actividad es tan antigua como la humanidad, surgió cuando algunas personas producían más de lo que necesitaban; sin embargo, carecían de otros productos básicos. Acudían a mercados locales y allí comenzaron a intercambiar sus excedentes con otras personas; es decir, a practicar el **trueque**.

Con el tiempo, apareció la **moneda** (dinero) y el comercio se basó en la compra y la venta de productos y servicios.

La actividad comercial desempeña un importante papel dentro del sector económico, ya que suele dar empleo a más del 15 % de la **población activa**.

a) Sector terciario _____
_____
_____

b) Feria _____
_____
_____

c) Mercado _____
_____
_____

d) Moneda _____
_____
_____

e) Población activa _____
_____
_____

f) Trueque _____
_____
_____

2 Selecciona las siguientes palabras y colócalas donde corresponda.

| Tienda | Gran superficie | Cliente interno | Comercial | Comercio tradicional |

| Mercadillo | Tendero | Vendedor | Comprador compulsivo | Técnico | Cliente externo |

Lugar de compra	Persona que vende	Persona que compra

3 Coloca en los espacios en blanco la palabra o expresión adecuada.

| Comercio electrónico | Transferencia | Paypal | Pago al contado |

a) No tengo tiempo de salir de compras así que utilizo _____ para mis compras.

b) Ahora no me preocupo por mis compras en internet, uso un sistema de pago seguro que se llama _____ .

c) Dime cuánto te han costado los libros que te encargué, que te hago una _____ .

d) Me han hecho un descuento al comprar mi coche por _____ .

4 Utiliza subjuntivo o indicativo según corresponda.

a) Creo que el comercial (tener) _____ argumentos muy sólidos.

b) No me parece bien que (hablar) _____ mal de esta tienda.

c) Pienso que (deber) _____ trabajar más y hablar menos.

d) Opino que (vender) _____ muy barato tu coche.

e) No creo que María (comprar) _____ la casa.

f) Luis no cree que Fernando (vender) _____ su moto.

g) En la tienda piensan que (rebajar) _____ mucho sus precios.

5 Haz una lista con las características de los distintos tipos de clientes.

Cliente asertivo   Cliente indeciso   Cliente agresivo

6 Escribe los verbos entre paréntesis en el tiempo de pasado correspondiente.

Las pasadas Navidades (querer) _____ comprar un reloj para regalar a mi padre y fui a la joyería donde el año anterior (comprar) _____ una pulsera para mi madre, y el vendedor me (enseñar) _____ varios modelos.

Yo le (decir) _____ que me (parecer) _____ muy caros, pues el año anterior (comprar) _____ uno similar y su precio (ser) _____ mucho más bajo.

Entonces él me (decir) _____ que los precios (subir) _____ en un año un 20 por ciento, pero como me (considerar) _____ un buen cliente, me haría un precio especial.

Gracias a eso, (elegir) _____ un reloj muy bonito y mi padre (quedar) _____ muy contento. Creo que siempre volveré a esta joyería.

7 Lee las siguientes frases y responde verdadero (V) o falso (F).

	V	F
a) En mi negocio, el cliente es lo más importante.	○	○
b) El cliente siempre tiene razón.	○	○
c) El comercio electrónico es seguro.	○	○
d) Las grandes superficies venden más barato.	○	○
e) En los mercadillos se encuentran muchos chollos.	○	○
f) El Rastro es una gran tienda en Madrid.	○	○

8 Define de las siguientes palabras.

Garantía: _____

Certificado: _____

Calidad: _____

Queja: _____

Reclamación: _____

9 Escribe una carta de reclamación que exprese tu disconformidad con la compra de un ordenador portátil que no tiene las características que describía el producto en la tienda en línea. Solicita un ordenador nuevo que cumpla con lo que indica la oferta o la devolución del dinero.

10 Redacta un anuncio para vender tu consola en una página web especializada en la compraventa de productos de segunda mano.

1 Define y explica las palabras seleccionadas en el contexto del texto.

La **publicidad** es el conjunto de **estrategias** con las que una empresa da a conocer sus productos a la sociedad. La publicidad utiliza como principal herramienta los medios de comunicación, estos se difunden con rapidez, causan un impacto en el público y fomentan el comercio. La publicidad es una estrategia de *marketing* para **posicionar** los productos en el mercado global y su participación en la expansión de las empresas.

La consideración que el público pueda tener del producto depende de la aceptación que tenga este de la publicidad. Por lo general, la cantidad de productos iguales pero de diferente marca crea una **competencia** en el mercado, estas rivalidades hacen que las estrategias publicitarias sean más fuertes, más consistentes y que enmarquen la calidad del producto, así como también dan garantía de la buena elaboración de este.

a) Publicidad: _____

_____

_____

b) Estrategias: _____

_____

_____

c) *Marketing*: _____

_____

_____

d) Posicionar: _____

_____

_____

e) Competencia: _____

_____

_____

2 Relaciona las siguientes palabras con la imagen correspondiente y luego escribe una frase con cada una de ellas.

| Distribución | Precio | Promoción | Producto |

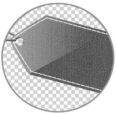  

3 Coloca en los espacios en blanco la palabra o expresión adecuada:

campaña   incrementar   anuncio   marca   prestigio

a) Hemos aumentado las ventas gracias a la _____ de publicidad.

b) Recuerdo la _____ de ese coche por la publicidad tan buena que hicieron.

c) El _____ era muy bueno y la música muy pegadiza.

d) No creo que vaya a _____ mis ventas con ese eslogan tan simple.

e) En los coches de _____ las garantías de calidad son más largas.

4 Utiliza subjuntivo o indicativo según corresponda.

a) Si encuentro una buena oferta, (comprar) _____ el coche.

b) Iría de vacaciones a Canarias si (encontrar) _____ un vuelo barato.

c) Tendrás mejores precios si (esperar) _____ a las rebajas.

d) Si vendo mi casa, tú (hacer) _____ una oferta.

e) La publicidad sería más eficaz si (estar) _____ mejor orientada a los clientes.

f) Si (aceptar) el último precio, lo vendería sin duda.

g) Si vendo mi moto, (regalar) _____ mi casco.

5 **Escribe las características de los distintos tipos de clientes y después compáralos unos con otros.**

CLIENTE SERIO	CLIENTE INDECISO	CLIENTE AGRESIVO	CLIENTE IMPACIENTE

6 **Completa las frases con el comparativo adecuado.**

a) Los precios en las grandes superficies son _____ bajos que en una tienda.

b) Zara es la marca española _____ conocida en el sector de la moda.

c) La garantía es _____ importante como la calidad en la elección del consumidor.

d) La inversión en publicidad en deporte femenino es _____ baja que en el deporte masculino.

7 **Lee las siguientes frases y marca si son verdaderas (V) o falsas (F).**

	V	F
a) En publicidad todo vale, no hay reglas.	○	○
b) Los precios están sujetos a la demanda del mercado.	○	○
c) Las ganancias no dependen solo del producto.	○	○
d) Los clientes siempre tienen razón.	○	○
e) Las compras compulsivas se fomentan desde la publicidad.	○	○
f) El precio no es la única razón para elegir un producto.	○	○

8 Prepara una encuesta para medir la satisfacción de los clientes después de visitar nuestro restaurante.

9 Trabajas en una agencia de publicidad y tienes que elegir un producto para anunciar en los siguientes puntos: la marquesina de un autobús, el metro, un cartel en la playa y otro en la carretera.

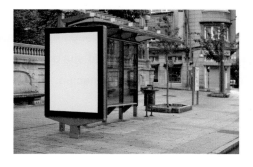

10 Describe una experiencia en la que la publicidad haya influido enormemente en tu decisión para comprar un producto, y explica cuál fue tu nivel de satisfacción al respecto.

1 **Lee el siguiente texto y contesta a las preguntas.**

Microsoft estuvo presente en la reunión de la banca en Ginebra, para aportar conocimientos a los empleados de los bancos sobre las herramientas digitales colaborativas más eficaces; para explicar cómo optimizar las **operaciones** gracias a la disposición de información de calidad relativa al **riesgo** y a los modelos operativos; y para hablar de la transformación de los productos con sistemas abiertos y conectados, y de los procesos digitales automatizados.

En un mundo ideal, los bancos deberían poder predecir cuándo sus clientes van a pensar por primera vez en su **plan de pensiones**, para ser capaces de ayudarlos a crear ese plan en cuestión de minutos. O hacer lo mismo con una familia joven que solicita su primera hipoteca. O con una empresa que acaba de empezar y está decidiendo cuál será su banco de confianza. O mejor aún, sería perfecto para un banco poder satisfacer todas las necesidades de esos clientes de forma simultánea, estén donde estén, a cualquier hora, en cualquier dispositivo… y sin aumentar los **costes**.

Si los bancos quieren seguir siendo relevantes y prosperar en este mundo digital, deben aplicar nuevas tecnologías que les permitan cambiar sus propios **modelos de negocio**, convirtiendo sus datos en información útil, las ideas en acciones y creando oportunidades a partir de la transformación.

Adaptado de: *https://www.expansion.com/*

¿Qué esperas de la nueva banca?

_____

_____

_____

_____

_____

¿Qué papel tiene Microsoft en la relación de los bancos con sus clientes?

_____

_____

_____

_____

_____

2 Define y explica las palabras seleccionadas en el texto de la actividad anterior.

a) Operaciones: _____
_____
_____

b) Riesgo: _____
_____
_____

c) Plan de pensiones: _____
_____
_____

d) Costes: _____
_____
_____

e) Modelos de negocio: _____
_____
_____

3 Relaciona las palabras con las fotos y luego defínelas. ¿Qué entiendes por estas palabras?

1. Préstamo hipotecario

2. Línea de crédito

3. Compra electrónica

4. Crédito personal

4 Relaciona las imágenes con las unidades léxicas correspondientes y, después, completa los espacios en blanco de las frases.

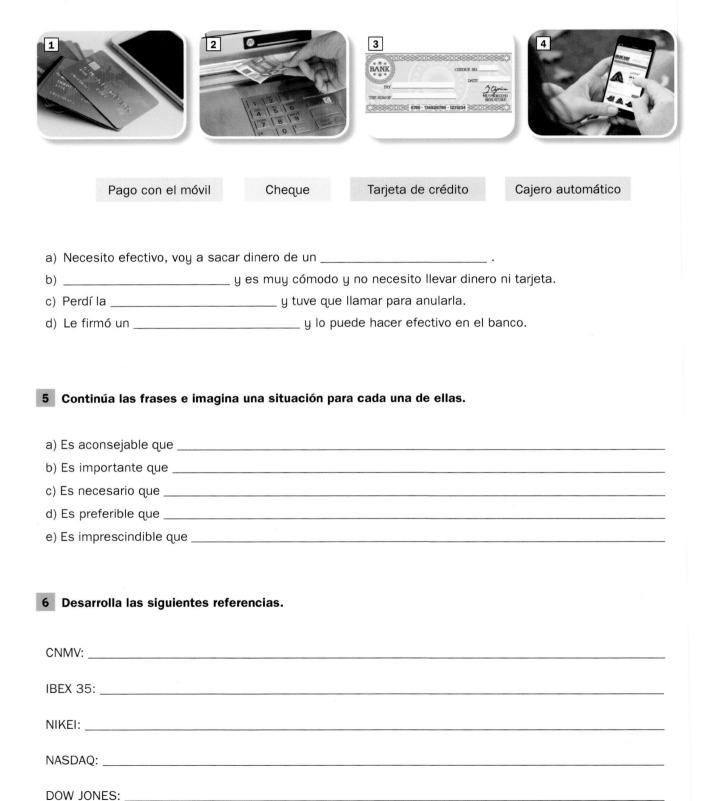

| Pago con el móvil | Cheque | Tarjeta de crédito | Cajero automático |

a) Necesito efectivo, voy a sacar dinero de un _____ .

b) _____ y es muy cómodo y no necesito llevar dinero ni tarjeta.

c) Perdí la _____ y tuve que llamar para anularla.

d) Le firmó un _____ y lo puede hacer efectivo en el banco.

5 Continúa las frases e imagina una situación para cada una de ellas.

a) Es aconsejable que _____

b) Es importante que _____

c) Es necesario que _____

d) Es preferible que _____

e) Es imprescindible que _____

6 Desarrolla las siguientes referencias.

CNMV: _____

IBEX 35: _____

NIKEI: _____

NASDAQ: _____

DOW JONES: _____

7 **Explica los siguientes términos.**

Mercado de valores: _____

Renta fija: _____

Fondo de inversión: _____

Bonos: _____

8 **Lee las expresiones marcadas en cada texto y explica su significado en el contexto.**

El rally del sector destroza las previsiones de los expertos, que ahora esperan una **fase de consolidación**.
Los bancos españoles y los inversores no parecen dispuestos a poner un punto y aparte a su ya muy prolongado idilio. En los primeros compases del mes de mayo, la entidades financieras vuelven a liderar los avances en bolsa.

Sacyr 'asoma la cabeza' por encima de la **directriz bajista** de los últimos tres años.

Las bolsas europeas han retomado las subidas tras las suaves caídas de ayer. El Ibex, sin embargo, se ha desmarcado con caídas al prolongarse la recogida de beneficios en la banca. El **selectivo español** se ha dejado un 0,42 % hasta los 11.049,20 puntos. El euro se cambia por menos de 1,09 dólares.

9 **Selecciona el resumen de bolsa de la jornada y explica el comportamiento de cinco valores del IBEX 35, utilizando el lenguaje periodístico de la crónica bursátil, siguiendo los ejemplos anteriores.**

▶ EL PRETÉRITO IMPERFECTO

- Para formar el pretérito imperfecto tomamos la raíz del verbo y añadimos las siguientes terminaciones.
- El imperfecto se utiliza para describir lugares, personas y cosas en el pasado.
  La empresa era grande. Tenía doscientos empleados.
  El director general era amable y generoso.
  Mi carpeta estaba en el primer cajón.
- Permite también describir circunstancias de la acción.
  No tuvimos la reunión porque el gerente estaba enfermo.
- Con el imperfecto hacemos referencia a acciones habituales en el pasado.
  Aquella multinacional producía todos sus productos a mano.
- También nos puede presentar acciones en desarrollo en un momento del pasado.
  Cuando los empleados desayunaban, llegó la secretaria a buscarlos.

	-AR comprar	-ER vender	-IR vivir
yo	compraba	vendía	vivía
tú	comprabas	vendías	vivías
él / ella / usted	compraba	vendía	vivía
nosotros/as	comprábamos	vendíamos	vivíamos
vosotros/as	comprabais	vendíais	vivíais
ellos/as / ustedes	compraban	vendían	vivían

Formas irregulares:

Ser: era, eras, era, éramos, erais, eran.
Ir: iba, ibas, iba, íbamos, ibais, iban.
Ver: veía, veías, veía, veíamos, veíais, veían.

▶ PERÍFRASIS VERBALES

- Las perífrasis verbales son construcciones formadas por un verbo conjugado que funciona como auxiliar y otro verbo en forma de gerundio, infinitivo o participio. Entre los dos, puede aparecer algún nexo. Aquí tienes algunas de las perífrasis más habituales.

Poder + infinitivo	Posibilidad Permiso Habilidad	*Puedo comer en la cafetería del trabajo.* *¿Puedes dejarme los informes encima de la mesa?* *La secretaría puede hablar siete idiomas.*
Deber + infinitivo	Consejo	*Debes hablar con el director general.*
Comenzar + infinitivo	Comienzo de la acción	*En 1988 comenzaron a subir las ventas.*
Empezar + infinitivo	Comienzo de la acción	*En 2011 empezaron a bajar las importaciones.*
Llegar a + infinitivo	Resultado final	*Con su trabajo, llegará a tener un importante puesto.*

Dejar de + infinitivo	Interrupción de la acción	*Deja de hacer ruido, por favor.*
Seguir + gerundio	Continuación de la acción	*¿Sigues trabajando en el mismo sitio?*
Seguir sin + infinitivo	Continuación de la acción	*Sigo sin encontrar un buen trabajo.*

▶ **VERBOS CON PREPOSICIÓN**

> A • ANTE • BAJO • CON • CONTRA • DE • DESDE • EN • ENTRE
> HACIA • HASTA • PARA • POR • SEGÚN • SIN • SOBRE • TRAS

- En español existen muchas preposiciones que nos permiten expresar diferentes informaciones: dirección, tiempo, espacio, posesión, causa, finalidad, etc.
- Algunos verbos rigen una preposición y la necesitan para funcionar.

Preocuparse por	*Están preocupados por el problema económico.*
Contar con	*El jefe cuenta con todos los miembros de su plantilla.*
Dedicarse a	*Esta empresa se dedica a la compraventa de materiales de construcción.*
Invertir en	*Para obtener beneficios hay que invertir en bolsa.*
Tratar de	*Todas las multinacionales tratan de reclutar clientes.*
Renunciar a	*El empleado renunció a la mejora de sueldo porque no quería más dinero.*
Partir de	*Era una empresa familiar que partió de cero.*
Influir en	*Las campañas de marketing intentan influir en los consumidores.*
Confiar en	*Un buen director debe confiar en sus empleados.*

▶ **PRESENTE DE INDICATIVO: USOS**

- El presente de indicativo se emplea para hablar de acciones habituales en el presente.
  Todos los días desayuno con los compañeros de trabajo.
- Se refiere también a un momento presente que coincide con el momento en que estamos hablando.
  Leo los informes de ventas y compras. (=estoy leyendo).
- Podemos hablar de verdades universales.
  La Tierra es redonda.
- Con el presente, podemos hacer peticiones.
  ¿Puedes facilitarme el email del departamento de ventas?
- Tiene un valor de pasado que permite hablar de tiempos anteriores, nombres o hechos históricos. Suele ir acompañado de marcadores temporales: fechas, hace + periodo de tiempo largo, etc.
  Telepizza se crea en el siglo pasado.
- Cuenta también con un valor de futuro que hace referencia a un momento relativamente próximo y seguro.
  Mañana llamo por teléfono a su secretaria.

▶ **COMPLEMENTOS DE OBJETO DIRECTO Y OBJETO INDIRECTO**

- En español los pronombres personales de complemento se emplean para referirse a un complemento directo o indirecto que ya se ha mencionado previamente y que es conocido por los interlocutores.
- Los pronombres de objeto directo e indirecto son los siguientes.

	Objeto directo		Objeto indirecto	
	Singular	**Plural**	**Singular**	**Plural**
1ª persona	Me	Nos	Me	Nos
2ª persona	Te	Os	Te	Os
3ª persona	Lo / La	Los / Las	Le (se)	Les (se)

- Los pronombres complemento se colocan normalmente delante del verbo, excepto con el imperativo, que va detrás formando una sola palabra.
  Perdona, ¿me puedes traer un café?
  Llámame dentro de un rato, ahora no puedo atenderte.
- Si aparece un objeto directo y otro indirecto en una misma frase, primero tenemos que colocar el complemento indirecto y después el directo.
  ¿Me puedes decir a qué hora es la conferencia?
  Sí, enseguida te lo digo.
- Cuando los complementos de tercera persona de objeto directo e indirecto aparecen en una misma frase, la forma del objeto indirecto (le/les) se sustituye por "se".
  El director dio <u>unos regalos</u> <u>a sus trabajadores</u> → El director se los dio
                                los   *les → se*

- En ocasiones, en una misma frase pueden aparecer el complemento y el pronombre.
- La repetición es obligatoria, cuando el complemento se antepone al verbo.
  El periódico, lo *compra la secretaría todas las mañanas.*
  A Juan *le vi el otro día.*
- La repetición es opcional pero frecuente en el caso de que el complemento indirecto aparezca pospuesto al verbo.
  *(**Le**) compre un regalo **a Julián.***

Unidad 3

▶ **EL FUTURO**

- En español existen diferentes formas de expresar el tiempo futuro.
  Mañana vamos a salir a cenar → ir a + infinitivo
  Esta noche empiezo mis vacaciones → Esta noche / esta tarde / este verano / este fin de semana + presente de indicativo
  El próximo verano viajaremos a China → futuro simple
- Para formar el futuro simple debemos tomar el infinitivo y añadir las terminaciones correspondientes.

	-AR trabajar	-ER responder	-IR servir
yo	trabajaré	responderé	serviré
tú	trabajarás	responderás	servirás
él / ella / usted	trabajará	responderá	servirá
nosotros/as	trabajaremos	responderemos	serviremos
vosotros/as	trabajaréis	responderéis	serviréis
ellos/as / ustedes	trabajarán	responderán	servirán

Formas irregulares:

Salir → *saldr-* **Querer** → *querr-* **Poner** → *pondr-* **Caber** → *cabr-*
Tener → *tendr-* **Decir** → *dir-* **Poder** → *podr-* **Haber** → *habr-*
Valer → *valdr-* **Hacer** → *har-* **Venir** → *vendr-* **Saber** → *sabr-*

- Utilizamos el futuro simple para hablar y predecir un tiempo que sucederá de forma posterior al momento presente.
  El jueves que viene conoceremos al nuevo representante.
  Las próximas semanas tendremos muchas visitas de negocios.
- El futuro simple tiene también un valor de probabilidad en el presente. Afirmamos algo sin tener seguridad de ello.
  No sé por qué está tan enfadado Paco con el encargado. Tendrá algún problema con él.

▶ EL PRESENTE DE SUBJUNTIVO

- El subjuntivo es uno de los modos verbales en español, junto con el indicativo y el imperativo.
- Para formar el subjuntivo, tomamos la raíz del verbo y añadimos las terminaciones correspondientes.

	-AR hablar	-ER aprender	-IR vivir
yo	hable	aprenda	viva
tú	hables	aprendas	vivas
él / ella / usted	hable	aprenda	viva
nosotros/as	hablemos	aprendamos	vivamos
vosotros/as	habléis	aprendáis	viváis
ellos/as / ustedes	hablen	aprendan	vivan

Verbos con irregularidades vocálicas			
	E → IE pensar	O → UE poder	E → I pedir
yo	piense	pueda	pida
tú	pienses	puedas	pidas
él / ella / usted	piense	pueda	pida
nosotros/as	pensemos	podamos	pidamos
vosotros/as	penséis	podáis	pidáis
ellos/as / ustedes	piensen	puedan	pidan

Verbos con irregularidades consonánticas	
hacer	haga
salir	salga
tener	tenga
decir	diga
oír	oiga
salir	salga
venir	venga
poder	ponga

Verbos con otras irregularidades	
haber	haya
ser	sea
estar	esté
ir	vaya
saber	sepa
ver	vea
dar	dé

▶ ORACIONES SUSTANTIVAS I: VERBOS DE INFLUENCIA Y NECESIDAD

- Con este tipo de verbos el hablante quiere expresar su necesidad e influir en el oyente para lograr una determinada actitud o actuación por su parte. Algunos verbos son: aconsejar, desear, necesitar, pedir, permitir, preferir, querer, recomendar, sugerir, mandar, etc.
- Estos verbos pueden funcionar con un infinitivo, si el sujeto lógico de los dos verbos es el mismo, o con subjuntivo, si el sujeto lógico de los verbos es diferente.
  El personal de la empresa quiere trabajar menos horas (un mismo sujeto: "el personal").
  El personal de la empresa quiere que su jefe les suba el sueldo (dos sujetos diferentes: "el personal" y "su jefe").

▶ CONSTRUCCIONES COMPARATIVAS Y SUPERLATIVAS

- Las comparativas son un tipo de oración que sirve para realizar una comparación entre dos elementos. Podemos utilizar estructuras comparativas para expresar superioridad, igualdad o inferioridad. También hay que tener en cuenta si se trata de estructuras con un adjetivo, nombre o adverbio.
  Siguen el siguiente esquema:

		Adjetivos y adverbios
Superioridad	Más...que	*El nuevo empleado es más eficiente que el anterior.* *Este fax es más rápido que el otro.*
Igualdad	Tan...como	*El nuevo empleado es tan eficiente como el anterior.* *Este fax es tan rápido como el otro.*
Inferioridad	Menos...que	*El nuevo empleado es menos eficiente que el anterior.* *Este fax es menos rápido que el otro.*

- En el caso de los sustantivos, para establecer una comparación de igualdad, utilizaremos la forma tanto/tanta/tantos/tantas, concordando en género y número con el sustantivo al que acompaña.

		Sustantivos
Superioridad	Más...que	*La secretaría sabe más idiomas que el jefe.*
Igualdad	Tanto/a/os/as...como	*La secretaría sabe tantos idiomas como el jefe.*
Inferioridad	Menos...que	*La secretaría sabe menos idiomas que el jefe.*

- Cuando queremos expresar una cualidad del adjetivo en su más alto o bajo grado, utilizamos el superlativo. Puede ser superlativo absoluto:
  El paro el altísimo en España.
  El paro es muy alto en España.
- O superlativo relativo, entre un grupo:

Superioridad → el/la/los/las + más + adjetivo +
{
de + sustantivo → *Esta habitación es la más bonita de todas.*
que + frase → *Este viaje es el más bonita que he hecho.*
}

Inferioridad → el/la/los/las + menos + adjetivo +
{
de + sustantivo → *Esta avión es la menos cómodo de Iberia.*
que + frase → *El hotel Sol es el menos cómodo que he visto.*
}

Unidad 4

▶ **SER Y ESTAR + ADJETIVOS**

SER	ESTAR
Ser se emplea para describir cualidades del sujeto que son estables, no circunstanciales – *El empleado es muy tranquilo y nunca se altera.*	**Estar** se emplea para describir estados circunstanciales, y que son el resultado de un cambio: – *El empleado está muy tranquilo porque ha hecho ya su trabajo.*
Hay adjetivos que solo pueden combinarse con ser o con estar:	
Ambicioso, atrevido, constante, controlador, eficaz, impulsivo, tímido, mentiroso, metódico, observador, original, puntal, etc.	*Capacitado, deprimido, despreocupado, eufórico, entusiasmado, preparado, satisfecho, etc.*

▶ **PRETÉRITO PERFECTO DE INDICATIVO**

- El pretérito perfecto de indicativo se forma con el verbo haber conjugado en presente de indicativo y el participio pasado del verbo.

Yo	he		
Tú	has		cenado
Él/Ella/Usted	ha		
Nosotros/Nosotras	hemos	+	bebido
Vosotros/Vosotras	habéis		
Ellos/Ellas/Ustedes	han		dormido

- El participio pasado se forma añadiendo a la raíz del verbo (verbo sin la terminación de infinitivo) la terminación –ADO (verbos en –AR) o –IDO (verbos en –ER y en –IR).
  - **reservar** → *reservado*
  - **vender** → *vendido*
  - **comer** → *comido*

Algunos participios irregulares:

ver → *visto*　　　　**volver** → *vuelto*　　　　**poner** → *puesto*
hacer → *hecho*　　　**escribir** → *escrito*　　**abrir** → *abierto*
decir → *dicho*　　　**romper** → *roto*　　　　**salir** → *salido*

- El pretérito perfecto se utiliza para hablar de un pasado cercano que sucede en un periodo de tiempo aún abierto. Se usa con marcadores temporales de presente para acercarlo al momento en el que se habla como hoy, esta mañana/tarde/semana/etc., hace un rato, hace cinco minutos, etc.
  Esta mañana he tomado un café.
  Hoy he ido a la oficina en moto.
- Se usa para preguntar e informar sobre experiencias personales. Puede aparecer con marcadores como ya, todavía no, alguna vez, nunca, siempre.
  ¿Has estado alguna vez en Australia?
  Yo nunca he ido a una comida de negocios.

▶ CONTRASTE DEL PRETÉRITO PERFECTO Y EL PRETÉRITO INDEFINIDO

- Con el pretérito perfecto hablamos de acciones cercanas a un tiempo presente. Los marcadores temporales así lo indican: hoy, esta mañana, hace media hora, etc.
  Esta mañana le han informado de su ascenso.
- El indefinido sitúa la acción en un tiempo totalmente separado del presente del que habla, acabado. Sus marcadores temporales indican esta lejanía: ayer, el año pasado, hace cinco años, etc.
  El año pasado obtuvo un aumento de sueldo.
- Cuando la acción está indeterminada, utilizamos el pretérito perfecto.
  Ha perdido su puesto de trabajo

▶ CONDICIONAL

- Para formar el condicional debemos tomar el infinitivo del verbo y añadir las terminaciones.

	-AR ganar	-ER vender	-IR vivir
yo	ganaría	vendería	viviría
tú	ganarías	venderías	vivirías
él / ella / usted	ganaría	vendería	viviría
nosotros/as	ganaríamos	venderíamos	viviríamos
vosotros/as	ganaríais	venderíais	viviríais
ellos/as / ustedes	ganarían	venderían	vivirían

Formas irregulares:

Salir → *saldr-*　　　　**Poner** → *pondr-*
Tener → *tendr-*　　　　**Poder** → *podr-*
Valer → *valdr-*　　　　**Venir** → *vendr-*
Querer → *querr-*　　　**Caber** → *cabr-*
Decir → *dir-*　　　　　**Haber** → *habr-*
Hacer → *har-*　　　　　**Saber** → *sabr-*

- Con el condicional expresamos la probabilidad o hipótesis sobre algún hecho.
  Con el aumento del presupuesto, obtendríamos mayores beneficios.
- Sirve para dar consejos.
  Yo que tú, compraría un nuevo ordenador.
  Deberías aprender el funcionamiento de este programa de contabilidad.
- Lo empleamos también para expresar deseos.
  Me gustaría hablar bien inglés y francés.
- El condicional expresa cortesía.
  ¿Podrías decirme cuál es la mejor forma para buscar trabajo?

Unidad 5

▶ PRETÉRITO INDEFINIDO

- El pretérito indefinido se forma añadiendo a la raíz del verbo las terminaciones correspondientes.
- El pretérito indefinido se usa cuando queremos hablar de una acción puntual pasada y acabada.
  El año pasado se fusionaron las dos empresas.
- El pretérito indefinido utiliza marcadores de pasado como ayer, anteayer, la semana/año/mes… pasado, en +fecha concreta, hace + cantidad de tiempo no breve, etc.
  Hace dos años se disolvió la sociedad limitada.
  Anteayer tuve una entrevista de trabajo.

	-AR hablar	-ER aprender	-IR vivir
yo	hablé	aprendí	viví
tú	hablaste	aprendiste	viviste
él / ella / usted	habló	aprendió	vivió
nosotros/as	hablamos	aprendimos	vivimos
vosotros/as	hablasteis	aprendisteis	vivisteis
ellos/as / ustedes	hablaron	aprendieron	vivieron

Formas irregulares:

Estar: *estuve, estuviste, estuvo, estuvimos, estuvisteis, estuvieron.*
Andar: *anduve, anduviste, anduvo, anduvimos, anduvisteis, anduvieron.*
Hacer: *hice, hiciste, hizo, hicimos, hicisteis, hicieron.*
Ser: *fui, fuiste, fue, fuimos, fuisteis, fueron.*
Poder: *pude, pudiste, pudo, pudimos, pudisteis, pudieron.*
Ir: *fui, fuiste, fue, fuimos, fuisteis, fueron.*
Decir: *dije, dijiste, dijo, dijimos, dijisteis, dijeron.*
Tener: *tuve, tuviste, tuvo, tuvimos, tuvisteis, tuvieron.*
Venir: *vine, viniste, vino, vinimos, vinisteis, vinieron.*
Poner: *puse, pusiste, puso, pusimos, pusisteis, pusieron.*
Querer: *quise, quisiste, quiso, quisimos, quisisteis, quisieron.*
Pedir: *pedí, pediste, pidió, pedimos, pedisteis, pidieron.*
Dar: *di, diste, dio, dimos, disteis, dieron.*

CONTRASTE ENTRE EL PRETÉRITO IMPERFECTO Y EL PRETÉRITO INDEFINIDO

- El imperfecto y el indefinido son tiempos del pasado con usos diferentes. Cuando aparecen juntos, el indefinido nos presenta acciones puntuales y el imperfecto nos señala el contexto o situación de la acción.
  Fuimos a la nueva sede de la empresa, que era muy grande y estaba cerca del centro.
- El imperfecto puede expresar también la causa de la acción que se expresa en indefinido.
  No celebraron la reunión porque el representante estaba enfermo
- En ocasiones, el imperfecto y el indefinido pueden intercambiarse en una misma frase pero el significado varía.
  Cuando salía del restaurante, le llamaron por teléfono → *En ese momento estaba saliendo del restaurante, la acción no estaba finalizada.*
  Cuando salió del restaurante, le llamaron por teléfono → *Ya estaba fuera del restaurante. La acción está finalizada.*

ESTILO INDIRECTO

En español, existen dos formas de reproducir lo que ya se ha dicho previamente:
- <u>En estilo directo:</u> expresamos exactamente lo que hemos dicho o lo que alguien ha dicho sin cambiar nada. Ponemos esas palabras entre comillas.
  El jefe dice: "Necesito los informes para mañana, por favor".
- <u>En estilo indirecto:</u> expresamos lo que hemos dicho o lo que alguien ha dicho, y adaptamos el mensaje original. Utilizamos verbos introductorios como decir, comentar, informar, señalar, indicar, preguntar, etc., seguidos de la conjunción que. Los cambios del estilo directo al indirecto afectan a adverbios y referencias espaciales y temporales así como en las personas verbales.
  Juan dice: "No podré venir aquí a la oficina" → *Juan dice que no podrá ir allí a la oficina.*

ORACIONES SUSTANTIVAS II: VERBOS DE SENTIMIENTO Y EMOCIÓN

- Estos verbos sirven para que el hablante exprese sus sentimientos y emociones ante las cosas y situaciones. Algunos verbos son gustar, aburrir, divertir, encantar, inquietar, importar, molestar, enfadar, interesar, doler, entristecer, apenar, etc..
- Estos verbos pueden funcionar con un infinitivo, si el sujeto lógico de los dos verbos es el mismo, o con subjuntivo, si el sujeto lógico de los verbos es diferente.
  Nos interesa hacer una buena campaña de marketing. (Un mismo sujeto, "nosotros").
  Nos preocupa que la campaña de marketing no sea buena. (Dos sujetos diferentes "nosotros" y "la campaña").

IMPERATIVO

- El Imperativo es un modo verbal que se caracteriza por tener unas desinencias en su forma afirmativa y otras diferentes en su forma negativa. Tiene dos formas personales propias, la segunda persona del singular y la segunda persona del plural.
- La forma del imperativo afirmativo es la siguiente:

	-AR comprar	-ER vender	-IR vivir
tú	compra	vende	vive
él / ella / usted	compre	venda	viva
vosotros/as	comprad	vended	vivid
ellos/as / ustedes	compren	vendan	vivan

Mismas irregularidades del presente de indicativo	E → IE cerrar	O → UE volver	E → I pedir
tú	cierra	vuelve	pide
él / ella / usted	cierre	vuelva	pida
vosotros/as	cerrad	volved	pedid
ellos/as / ustedes	cierren	vuelvan	pidan

Otras formas irregulares:

Salir: *Sal, salga, salid, salgan.*
Poner: *Pon, ponga, poned, pongan.*
Venir: *Ven, venga, venid, vengan.*
Tener: *Ten, tenga, tened, tengan.*
Hacer: *Haz, haga, haced, hagan.*
Decir: *Di, diga, decid, digan.*
Ser: *Sé, sea, sed, sean.*
Ir: *ve, vaya, id, vayan.*

- El imperativo negativo tiene las mismas formas e irregularidades que el presente de subjuntivo.

	-AR comprar	-ER vender	-IR vivir
tú	no compres	no vendas	no vivas
él / ella / usted	no compre	no venda	no vivas
vosotros/as	no compréis	no vendáis	no viváis
ellos/as / ustedes	no compren	no vendan	no vivan

- Con el imperativo afirmativo, los pronombres de objeto directo e indirecto o reflexivos se sitúan detrás del verbo formando una sola palabra. Con el negativo, se colocan delante.

Pronombre reflexivo
Levántate.
No te levantes.

Pronombre Objeto directo
Cómpralo.
No lo compres.

Pronombres Objeto directo e indirecto
Póntelo.
No te lo pongas.

- Utilizamos el imperativo para dar órdenes (generalmente acompañado de "por favor"), instrucciones y consejos.
  - Carlos, dime a qué hora es la presentación del consejero, por favor.
  - ▲ Para ir a la oficina, sigue todo recto hasta el ayuntamiento y luego gira a la izquierda.
- Hacer peticiones y conceder permiso.
  - María, déjame las llaves del coche, por favor.
  - ▲ Sí, claro, cógelas.
- Para dar órdenes e instrucciones también podemos utilizar la perífrasis "tener que + infinitivo".
  - Para llegar al centro, tienes que seguir todo recto.

Unidad 6

▶ PRETÉRITO PLUSCUAMPERFECTO

- El pretérito pluscuamperfecto es una forma compuesta por el imperfecto del verbo haber y el participio.

Pretérito imperfecto del verbo *haber*		Participio del verbo
yo	había	beber → bebido
tú	habías	
él / ella / usted	había	cantar → cantado
nosotros/as	habíamos	
vosotros/as	habíais	leer → leído
ellos/as / ustedes	habían	

- Se emplea para hablar de una acción anterior a otra también ubicada en el pasado.
  Cuando la empresa cerró, ya había despedido a muchos de sus trabajadores.

▶ ORACIONES SUSTANTIVAS III: VERBOS DE PENSAMIENTO Y OPINIÓN

- Los verbos de pensamiento y opinión nos permiten expresar lo que creemos sobre las circunstancias que nos rodean. Algunos de ellos son: pensar, opinar, suponer, creer, etc..
- Estos verbos pueden combinarse con una clausula en subjuntivo, cuando el verbo de pensamiento aparece en forma negativa, o con una clausula en indicativo, cuando aparece el verbo principal aparece en afirmativo.
  No creo que sea una buena idea la que propones.
  Creo que bajar los precios será una buena medida para subir las ventas.
- Cuando estos verbos aparecen en oraciones interrogativas, tanto afirmativas como negativas, siempre se utiliza el indicativo.
  ¿No crees que Juan es un poco vago en el trabajo?
  ¿Piensas que la reunión será hoy?

Unidad 7

▶ ORACIONES CONDICIONALES

- Las oraciones condicionales son aquellas en las que es necesario que se cumpla una condición para que se realice la acción principal. Aunque existen otros, el nexo más frecuente introductor de las oraciones condicionales es "si".
- Existen varios tipos de condicionales que se construyen según el siguiente esquema.
- Posibles o reales: posibilidad para que se realicen.

Oración condicional	Oración principal
Si + Verbo en presente de indicativo.	Verbo en futuro, presente de indicativo o imperativo.

Si tienes tiempo, prepárame el informe.
Si terminamos pronto la reunión, hacemos una ruta turística por la ciudad.
Si obtenemos beneficios, compraremos más acciones.

- Irreales: Dificultad o imposibilidad para que se realicen

Oración condicional	Oración principal
Si + Verbo en presente pluscuamperfecto de subjuntivo	Verbo en condicional

- *Si tuviéramos un espacio más grande, cabríamos todos en la misma planta.*

Unidad 8

▶ ESTRUCTURAS VALORATIVAS CON *SER*

- El verbo ser puede combinarse con adjetivos para hacer juicios de valor. Algunos de estos adjetivos son: necesario, suficiente, normal, conveniente, natural, bueno, malo, peor, posible, justo, aconsejable, recomendable, etc.
- Si nos referimos a valoraciones generales combinaremos el verbo ser+ adjetivo con un infinitivo, mientras que si cuenta con un sujeto personal, con que + subjuntivo.
  Es conveniente tener reuniones de vez en cuando.
  Es normal que el director tenga una secretaria.

▶ ORACIONES FINALES CON *PARA*

- Estas oraciones subordinadas marcan la finalidad con la que se realiza la acción principal. Aunque existen otros nexos, el más importante es "para".
- Estas oraciones finales con para se construyen con infinitivo, cuando el sujeto lógico de las dos frases es el mismo, y con subjuntivo, cuando el sujeto lógico es diferente.
  Compraremos el nuevo material para modernizar la empresa.
  Bajaremos los precios para que los clientes estén más contentos.

Pista 1

Moderador: Buenas tardes. A continuación, les presento a Arturo Jiménez, experto en dirección y gestión de empresas y asesor financiero, quien nos va a exponer hoy algunos conceptos relativos a la empresa y su clasificación.

Ponente: Muchas gracias. Bien, lo primero que debemos abordar es la definición de empresa. Podemos decir que una empresa es una unidad productiva organizada para la explotación de una actividad económica. Es, por tanto, una estructura económico-social integrada por elementos humanos, técnicos y materiales. Su clasificación resulta compleja porque se pueden manejar muy diversos criterios. Así, se valora el número de personas que la forman, la procedencia de sus inversores, la forma en la que está constituida, el territorio en el que comercia, dónde desarrolla su actividad, etc., entre otros.

El primer criterio para la clasificación de empresas puede hacerse en función de su **tamaño**. Hablamos de pequeñas, medianas y grandes empresas. Incluso llegamos a diferenciar microempresas. A su vez, para establecer esta división, atendemos diversos factores, tanto económicos como técnicos y organizativos, pero sobre todo a sus dimensiones en la plantilla. Así, para considerar que una empresa es grande o pequeña, es decir, determinar su tamaño, se tiene en cuenta el número de trabajadores.

En segundo lugar, las empresas pueden ser examinadas en función del **sector económico** en el que realizan su actividad, esto es, si es una empresa dedicada al sector primario, secundario o terciario. El sector primario incluiría a las que se dedican a la explotación de los recursos naturales, y también ganadería, agricultura, pesca o extracción de minerales. El secundario engloba las empresas que transforman estos recursos, y el terciario se enfoca a su comercialización y a los servicios de los consumidores.

El tercer factor a valorar es la **procedencia del capital**. ¿Qué quiere decir? Si los fondos provienen del estado, se tratará de una empresa pública. Si por el contrario proceden de particulares, hablamos de una empresa privada. Y si está gestionada con dinero público y privado será una empresa mixta. Así pues para esta clasificación tendremos que saber quién es el inversor, de quién es el capital.

En cuarto lugar, tenemos el ámbito de actuación, es decir, el **ámbito geográfico** en el que una empresa realiza su actividad. Pueden funcionar en un ámbito local, es decir, en una localidad, regional, en una región más amplia, nacional, en todo el país, e internacional, más allá de las fronteras de un país. Cuanto más fuerte sea una empresa, generalmente su terreno de actuación será más amplio.

El último criterio que podemos manejar es el de la **forma jurídica**, que es quizás el más complejo porque incluye otros subapartados. En un primer nivel podemos hablar de empresas individuales cuando tienen un único propietario que se identifica con una única persona física, y de sociedades, que aúnan diferentes propietarios asociados por un contrato. Así, nace una persona jurídica que reúne a varias personas físicas. Este tipo de asociaciones pueden ser a su vez divididas en sociedades limitadas, anónimas, comanditarias, cooperativas, etc.

Pista 2

El Impuesto sobre el Valor Añadido, conocido como IVA, es un impuesto indirecto en tanto que no recae sobre los ingresos, sino sobre la producción y venta de las empresas y la compra de dichos productos, en definitiva, es un impuesto que lo pagan los consumidores cuando se hace uso de un determinado servicio o se compra un producto.

El IVA varía según los países y fluctúa con los años. En este sentido, en España el IVA general es de un 21 %, situándose en el puesto 19 del ranking mundial, empatado con el de países como Bélgica, Argentina o los Países Bajos. El IVA más alto del mundo lo tiene Hungría con un 27 % y el más bajo Estados Unidos ya que oscila desde el 0 % hasta el 11 % dependiendo del Estado.

En España, los tipos de IVA impositivo vigentes están divididos en tres grupos. Por una parte, el IVA superreducido, de un 4 %, que se aplica a los productos considerados de primera necesidad como el pan, la leche, las frutas, los huevos, los cereales o los quesos. También se extiende a libros, periódicos y revistas no publicitarios o medicamentos.

Un segundo tipo de IVA es el reducido, de un 10 %. En este tipo impositivo entran muchísimos productos, como por ejemplo los alimentos en general, transporte de viajeros, gafas graduadas o algunos eventos deportivos.

Sin embargo el más frecuente es el IVA general, que asciende a un 21 % y que se aplica a casi todos los productos y servicios. De hecho, en la última modificación del IVA se aumentó el número de productos y servicios incluidos en este tipo impositivo con algunos servicios como el material escolar, salas de cine y teatro, pañales, peluquería, gimnasios, coches, ropa y complementos, tabaco y alcohol, hostelería y otros parecidos.

Pista 3

○ Sí, la verdad es que el nombre de una empresa es lo primero que se conoce de ella.

✦ Por eso es muy importante elegir un nombre que sea llamativo para un número amplio de personas.

■ Sí, es cierto lo que decís, pero a veces la justificación de los nombres es muy variada y responde a criterios que son difíciles de entender para los consumidores.

○ Además, una vez que se elige el nombre hay que comprobar que no tiene los derechos reservados y tener en cuenta muchas cuestiones.

✦ ¿Conocéis la marca Bimba y Lola?

○ Sí, es una empresa española de bolsos y complementos ¿no?

■ ¿No es de Bimba Bosé, la hermana del cantante Miguel Bosé?

✦ No, no. Es de las hermanas de Adolfo Domínguez, el diseñador. Precisamente Bimba Bosé las denunció porque utilizaban el nombre "bimba", que lo tiene reservado ella. El nombre hace referencia a los dos perros de las dueñas de la empresa, que se llaman Bimba y Lola. Por eso el logo es un perro.

■ Ah ¿sí? ¡Qué curioso!

✦ ¿Y conocéis el supermercado DIA?

○ Claro, yo compro allí muchas veces. Supongo que su nombre se debe a que las personas vamos cada día a comprar allí y a que tienen productos frescos, ¿no?

✦ No, no. Fíjate, la marca no lleva tilde como la palabra "día".

○ Es verdad. ¿Entonces?

✦ Es el acrónimo de Distribuidora Internacional de Alimentación.

■ Yo compro en Eroski. ¿Qué significará?

✦ Pues eroski es un supermercado vasco y mezcla dos palabras del euskera, "erosi", que significa comprar, y "toki", lugar.

○ Lugar para comprar. Interesante.

✦ ¿Sabéis que historia me gustó mucho sobre una empresa española?

■ No, ¿cuál?

✦ La de las botas Chiruca. Es una empresa que hace calzado para la montaña. Es muy popular.

○ ¿Y qué pasa con su nombre?

✦ Pues que su fundador, Luís Fontfreda, llamaba así cariñosamente a su esposa Mercedes, así que pensó que era un bonito acto de amor poner este apelativo a su negocio.

○ Sí, qué original. Pero la verdad, es que no todas las marcas hacen lo mismo. Muchas toman las iniciales de sus fundadores o parte de sus nombres.

✦ Sí, pero no siempre lo parece. La empresa Panrico, que tiene pan, bollos y productos de ese tipo, pues yo pensaba que se llamaba así porque hacía un pan muy bueno, muy rico. Pues resulta que el nombre proviene de Panificio Rivera Costafreda.

○ Claro, justo Pan de Panificio, Ri de Rivera y Co de Costafreda.

Pista 4

Todas las empresas necesitan contar con una estructura jerarquizada vertical u horizontalmente, para poder ser rentables y crecer. La importancia de elaborar el organigrama en una empresa se plantea desde el primer momento en el que se definen las funciones, puestos y relaciones laborales entre los diferentes trabajadores de la misma.

Un aspecto que ha de tenerse en cuenta a la hora de diseñar el organigrama en una empresa es definir la visión y misión de cada uno de los puestos que se desempeñan dentro de la propia empresa. De esta manera, es mucho más sencillo delimitar la funciones y las relaciones jerárquicas que se desarrollan entre cada uno de los distintos apartados de la misma. Junto con la declaración estratégica y el área de desempeño profesional, el organigrama en una empresa es un documento absolutamente imprescindible para cualquier trabajador.

No hay una única forma, de elaborar el organigrama en una empresa. Dependerá de las necesidades y características específicas de cada una, pero la forma más sencilla y habitual es la estructura funcional. En ella, se detallan los distintos cargos y sectores (contabilidad, *marketing*, RR. HH., ventas, dirección general, dirección ejecutiva...) y su posición dentro de la empresa. En función de cada uno de los servicios o productos que comercialice la empresa, se elabora el organigrama, donde cada proyecto, servicio o producto está supervisado por un ejecutivo, y es él quien define el equipo que trabaja para el mismo y la relación jerárquica que se establece.

Algunas empresas prefieren una organización más horizontal y menos jerárquica, donde se definen las funciones y se da a cada departamento una mayor autonomía e independencia.

Otra manera de organizar el organigrama en una empresa es en estructura por cliente. De esta manera, se puede dar una atención personalizada, al asignar una jerarquía diferente para cada cliente y atender sus necesidades concretas.

Para definir el organigrama en una empresa se analizan los procesos que se producen en la compañía, conociendo quién participa en cada momento del proceso, y la importancia que el mismo tiene sobre el resultado final, y se realiza una organización coherente y clara.

Una vez que se ha establecido el organigrama, llega el momento de realizar una comunicación clara y directa a los trabajadores y socios de la empresa, así como a los futuros posibles clientes. De esta manera, la empresa proyectará una imagen de seriedad y organización que le ayudará a consolidarse y crecer dentro del mercado con mayor facilidad.

En todo caso, el organigrama se podrá modificar cuando cambien las necesidades de la empresa. El organigrama en una empresa es importante, pero más lo son las personas que lo representan.

Pista 5

Marta Fernández: ¿Centralita?

Centralita: Sí, es aquí. ¿En qué puedo ayudarle?

MF: Soy Marta Fernández, la nueva secretaria del director general. Quería pedirle los números de teléfono y los emails de los departamentos de la empresa.

C: ¿De todos?

MF: Necesito los del departamento de Ventas. Bueno, y también los de Recursos Humanos, el de Producción, el de Marketing, el de Contabilidad, el de Informática, el de Compras, el de Ventas… bueno, sí, todos. Tengo que mandar una comunicación.

C: Muy bien, le mando el directorio por correo electrónico ahora mismo.

MF: Muchas gracias.

- - - - - - - -

Departamento de Ventas: Buenos días, ¿dígame?

MF: Buenos días, soy la secretaria del director general. ¿Hablo con el departamento de Ventas?

DV: Sí, es aquí.

MF: ¿Y ahí puedo hacer un pedido de material fungible?

DV: No, señorita, no es aquí. Hable con Compras.

MF: Perdone, soy nueva. Muchas gracias.

- - - - - - - -

Departamento de RR. HH.: ¿Sí?

MF: ¿Departamento de Compras?

RR. HH.: No, disculpe, es el Departamento de RR. HH.

MF: ¿Este no es el 5289?

RR. HH.: No, lo siento, este es el 5298.

MF: Ay, perdone, me he equivocado. Buenas tardes.

- - - - - - - -

MF: Buenas tardes. ¿Estoy llamando al Departamento de Compras?

Departamento de Compras: Sí, es aquí.

MF: ¿Podría hablar con el responsable?

DC: No, lo siento, el supervisor no está. Tiene el día libre hoy.

MF: ¡Vaya! ¿Y si quiero hacer un pedido?

DC: Puede dejarle un recado. Espere, ¿es de material fungible?

MF: Sí, necesitamos pedir material para ponerle el nuevo logo de la empresa.

DC: Entonces le paso con la sección de papelería. Pregunte por Juan Romo.

MF: Muchas gracias. Eso haré.

Pista 6

1) El despido es procedente cuando las causas pueden quedar demostradas.

2) El despido es improcedente si no se siguen los requisitos formales exigidos por la ley.

3) La indemnización es la cantidad monetaria que la empresa debe pagar al trabajador ante un despido improcedente.

4) El despido disciplinario se produce en los casos de un incumplimiento grave del empleado

5) La readmisión consiste en que la empresa tiene que volver a admitir al trabajador en su plantilla a pesar de que había sido despedido.

6) Se llama despido nulo al que está fundamentado en una discriminación prohibida en la Constitución. La empresa tiene que readmitir al trabajador.

7) El despido que está permitido por la ley por causas económicas, técnicas o de producción se llama objetivo.

8) Se conocen más popularmente como ERE, esto es, Expediente de Regulación de Empleo de Extinción, pero son una forma de despido colectivo.

Pista 7

El nacimiento de un hijo es siempre una noticia feliz para padres y familiares, pero conlleva una serie de implicaciones no solo a nivel personal sino desde el punto de vista laboral. Cuando una mujer da a luz, puede disponer de una baja de maternidad de 16 semanas ininterrumpidas desde el mismo día del parto. Estas semanas pueden ser ampliadas en algunos supuestos como un parto múltiple. Igualmente, esta normativa es aplicable en los casos de adopción o acogimiento.

Aunque menos frecuente pero cada vez más de moda, existe un permiso de paternidad, que cabe disfrutar también en los casos de parto, adopción o acogimiento. El permiso "normal" que todo el mundo conoce es actualmente de 13 días ininterrumpidos por paternidad de un hijo. En caso de que nacieran gemelos el permiso sería de 15 días ininterrumpidos y 2 días más por cada hijo adicional.

Este permiso por paternidad fue introducido en el año 2007 y es independiente y acumulable al permiso de 2 días por nacimiento de hijo (4 si fuera necesario desplazamiento) que lleva en vigor al menos desde el año 1980. Es decir que por cada nacimiento "normal" (de un único hijo) tienes derecho en todo caso al menos a 15 días naturales de permiso retribuido aunque la madre no trabaje. Los 2 primeros se tendrían que disfrutar necesariamente con el nacimiento, pero los otros 13 los podrás disfrutar mientras a la madre le dure el permiso de maternidad o justo después de que éste acabe. Si la madre no trabajara, se harían las cuentas como si lo hiciera. Es conveniente consultar el que fuera el convenio de obligatoria aplicación por si acaso ampliara cualquiera de los dos permisos, cosa que no es poco habitual.

Hasta aquí lo normal, pero casi todos los trabajadores y sindicalistas e incluso más de un profesional desconocen la posibilidad de ampliación del permiso de paternidad hasta 20 días porque no está en el Estatuto de los Trabajadores. Pero sí que está en el art.26.2 RD 295/09, por lo que el permiso de paternidad sería de 20 días en casos de familia numerosa y de discapacidad del recién nacido o en la familia.

Pista 8

La UE es una asociación económica y política, de 28 países europeos que ocupan gran parte del continente. Su sede está en Bruselas. Se representa con una bandera azul con 12 estrellas amarillas dispuestas en círculos. El día de Europa se celebra el 9 de mayo. La Presidencia de la UE cambia cada 6 meses, correspondiendo por orden alfabético cada vez a un país.

Esta unión económica ha evolucionado hasta convertirse en una organización activa en todos los frentes políticos, incluido la ayuda al desarrollo hasta el medio ambiente. En 1993, se cambia el nombre de CEE a UE (Unión Europea) lo que indica que se avanza hacia una realidad que abarca economía, política y sociedad de los países miembros.

La UE se basa en el Estado de Derecho: todas sus actividades están fundadas en los tratados, acordados voluntaria y democráticamente por todos los países miembros. Estos acuerdos vinculantes establecen los objetivos de la UE en sus numerosos ámbitos de actividad.

La Unión tiene un Presidente que se elige cada dos años y medio y está dotada de unas instituciones con el objetivo es promover y defender sus valores y objetivos, así como sus intereses, los de sus ciudadanos, y los de los países miembros. Estas instituciones contribuyen a asegurar la coherencia, eficacia y continuidad de las políticas y acciones de la UE.

Según consta en el artículo 13 del Tratado de la Unión Europea, está compuesto por siete instituciones:

El Parlamento Europeo, que representa a los ciudadanos de la UE y es elegido directamente por ellos en elecciones que se celebran cada 5 años. Cada país tiene asignado un número de escaños.

El Consejo de la Unión Europea, denominado «el Consejo», que representa a los gobiernos de cada uno de los Estados miembros; los Estados miembros comparten la Presidencia del Consejo con carácter rotatorio.

El Consejo Europeo define el rumbo y las prioridades políticas generales de la UE, pero no ejerce ninguna función legislativa

La Comisión Europea, que representa los intereses de la UE en su conjunto.

Y por último, y muy importantes, hay que mencionar el Tribunal de Justicia de la Unión Europea, el Banco Central Europeo, que dirige la política económica de la Zona Euro y el Tribunal de Cuentas, que ejerce el control financiero de la Unión.

Pista 9

El saludo es una forma de comunicarse, de introducir a una persona en el círculo de otra –al hacer las presentaciones–, bien sea de una forma momentánea y esporádica, o bien de una forma más permanente al establecer un vínculo más estrecho con ella (amistad, amor, etc.).

El saludo más utilizado en todo el mundo es el apretón de manos. Saludar y dar la mano es mundialmente aceptado, aunque haya países que tengan sus propias costumbres y solamente utilicen este saludo para tratar con los extranjeros.

En América del Norte, los Estados Unidos y Canadá, el saludo más utilizado es el apretón de manos, a nivel social y laboral. En América del Sur, predomina el carácter latino y social del saludo, y es muy utilizado, además del apretón de manos, los besos entre personas, incluso entre los caballeros, aunque sea más habitual entre las mujeres y de los hombres a las mujeres. Entre los hombres, puede ser más habitual que los besos, los abrazos y otras formas de expresión del saludo más cercanas.

Si nos vamos a Europa, aquí la diversidad de saludos es bastante amplia, siendo el denominador común dar la mano, como expresión más internacional del saludo. En España, los besos son muy habituales en los saludos, no solo en el ámbito social o familiar, sino en el laboral. No es difícil ver a la propia Reina de España dando dos besos a un escritor premiado o a un deportista que ha obtenido una medalla.

En el resto de Europa, hasta la frontera rusa, el saludo más habitual es dar la mano, en el ámbito social y laboral, dejando el beso, si un solo beso, para el ámbito más familiar e íntimo. Hay excepciones. Los franceses dan tres besos y, más, en algunas ocasiones. En la zona de los Balcanes también son muy dados a los besos como forma de saludo. Los rusos se besan muy cerca de la comisura de los labios... De la misma manera, en la parte más remota del mundo como Australia, también se utiliza esta forma Europea de saludar.

Si hablamos de países orientales, podemos destacar a Japón, por sus valores y arraigadas ceremonias tradicionales aún en vigor actualmente, prevalecen los saludos sin contacto físico; el saludo más habitual es una leve inclinación de cabeza como muestra de respeto por la otra persona. A mayor respeto mayor será la inclinación que deberá hacer. Pero no solo en Japón, sino en muchos otros países asiáticos, esta forma de saludo, inclinando la cabeza, es la forma más habitual de saludar.

No quita, para que con personas occidentales, sobre todo en el ámbito laboral puedan utilizar una forma de saludar más internacional. Dependerá mucho del país, la región del mismo y de otras circunstancias.

Como formas curiosas de saludar, una de las más conocidas es el saludo esquimal, en el cual las personas que se saludan frotan sus narices como muestra de cortesía; o de algunas tribus indias, que levantan su palma derecha como señal de saludo a otra persona y como muestra de sus buenas intenciones de no portar armas en la mano. Algunas tribus no solo levantan la palma de la mano, sino que hacen un pequeño círculo con ella en el aire a la hora de saludar.

Para terminar, uno de los saludos que más sorpresa despierta, es el saludo que se hacen los rusos entre camaradas. Los besos que se dan, generalmente tres, tan cercanos a los labios, producen una cierta extrañeza en aquellas personas que conocen este tipo de saludo por primera vez.

Adaptado de protocolo.org.

Pista 10

Trabajar por cuenta propia es una opción que muchos trabajadores consideran durante su vida laboral. El autoempleo significa crear tu propio puesto de trabajo, tu propia empresa, y ser tu propio jefe. Solución al desempleo, desarrollo personal, obtener un beneficio económico o superación, son algunas de las razones por las que una persona decide escoger el autoempleo como salida profesional. A pesar de que es una decisión arriesgada son muchas las ventajas que ofrece.

En primer lugar la autonomía. Eres tu propio jefe y tú decides tus reglas. Serás el encargado de trazar la estrategia de tu empresa y sus objetivos. Esta autonomía supone que tú serás el responsable de tu éxito o de tu fracaso.

La flexibilidad de horario es también una característica positiva. Puedes entrar a trabajar a la hora que quieras, planificar tus descansos para comer o para atender otros asuntos. Sin embargo esta libertad de horario tiene su lado negativo ya que muchos emprendedores alargan su jornada y no saben diferenciarla de su tiempo de ocio y relax.

Además, puedes trabajar desde casa. Si no tienes necesidad de desplazarte físicamente, puedes realizar tu actividad desde tu cocina o tu habitación. Lo bueno de no tener que moverse es que no pierdes tiempo en el metro o en atascos interminables.

Muy positivo para el emprendedor es la motivación. Tu trabajo afecta directamente a la evolución de la empresa, por lo que estarás más motivado y realizarás más esfuerzo que si trabajaras en una estructura en la que tu energía e ideas son para otras personas.

Otra ventaja son los beneficios económicos. Todos los ingresos son para ti. En el caso de que la empresa vaya bien podrías conseguir cantidades que difícilmente podrías obtener trabajando para terceros. En definitiva, no hay intermediarios por lo que ganas y gestionas tu propio dinero.

En último lugar, ser un emprendedor significa una gran autorrealización. Poner en marcha tus ideas, convertirlas en una empresa y sacarlas adelante con tus propios recursos te produce un prestigio social y profesional, pero sobre todo una enorme autorrealización, una satisfacción y orgullo de ti mismo.

Pista 11

En nuestra empresa recibimos cientos de currícula cada día. Sin embargo, solo con un primer vistazo seleccionamos los que nos pueden interesar. Hay algunos errores que pueden percibirse en una lectura superficial y que son, a nuestro juicio, imperdonables. En mi opinión, el currículum perfecto no existe. Si bien para la selección de la información hay que tener en cuenta la empresa o el puesto de trabajo a la que queramos destinarlo, se pueden ofrecer una serie de pautas que son útiles a la hora de configurar un buen currículum.

En España hay un refrán que dice «Lo bueno, si breve, dos veces bueno». Con esto quiero decir que no es conveniente excederse en los datos y rellenar líneas y líneas que resultan intrascendentes para los seleccionadores. No se trata de cantidad, sino calidad. Poner lo que sea relevante para el perfil que se busca. Ser claro, utilizar la palabra precisa y ser hábil para resumir demuestra la capacidad de sintetizar, priorizar y comunicar, aspectos muy valorados por las empresas.

Tampoco hay puestos de trabajo para quienes cometen faltas de ortografía, así que revisar con cuidado todo lo que se escribe es fundamental. Desde mi punto de vista, hay pocas cosas que causen tan mala impresión. Los currícula hay que revisarlos.

Otra cosa a evitar es que el currículum sea demasiado llamativo, es decir, con una presentación demasiado novedosa o con un diseño rompedor. Así por ejemplo, desde mi punto de vista, los currícula llenos de colores no son buen reflejo de tu profesionalidad en el campo laboral.

También hay que ser crítico a la hora de elegir la fotografía que adjuntamos. A nosotros los encargados de RR. HH. nos parece genial que los candidatos sean felices en tu vida personal, pero adjuntar una fotografía de la última barbacoa familiar o de tus vacaciones en la playa no es una buena elección. Debe ser nítida y dar un toque de seriedad. Igual de cuidadosos debemos ser a la hora de poner los datos de contacto que puedan ser poco apropiados. Esto es, hay que evitar los *emails* divertidos o familiares y proporcionar uno en el que se distinga tu nombre o apellidos.

Mi última recomendación, pero no menos importante, es la sinceridad. Adornar la información con funciones que no hemos desempeñado, con estudios que no hemos finalizado o con idiomas que no dominamos no es buena técnica ya que antes o después tendrás que demostrarlo y quedarás en evidencia ante tus superiores.

Pista 12

○ Mañana tengo una entrevista de trabajo y acabo de actualizar mi currículum y ajustarlo al perfil de la empresa.

✦ ¿Sí? Qué bien. ¿Para qué empresa es la entrevista, Antonio?

○ Para una empresa de publicidad. Creo que el currículum ha quedado muy bien, pero me gustaría que le echaras un vistazo y me dieras tu opinión.

✦ Claro. Vamos a ver. Mmmmm. Bueno, ¿esta foto que has puesto? ¿No estás muy joven aquí, Antonio?

○ Sí, es de hace unos años.

✦ Pues sería mejor poner una más reciente ¿No crees?

○ Sí, tienes razón.

✦ En tus datos personales no has escrito tu teléfono.

○ ¡Uy! Es verdad, qué despiste.

✦ Vale, muy bien, veo que los apartados están bien. A ver, formación académica, experiencia profesional...

Aquí, cuando hablas de tus estudios, creo que no está bien ordenado. Deberías ordenarlo de lo más reciente a lo más antiguo.

○ Es cierto. Está todo mezclado.

✦ Y aquí, en la experiencia profesional... Yo en tu lugar no pondría que has trabajado de aparcacoches. No tiene ninguna relación con el sector de la empresa. Intenta reducir información que no sea útil.

○ Estupendo, suprimo esa parte.

✦ Antonio, ¿no hablas ningún idioma?

○ Sí, inglés y francés.

✦ Pues deberías añadirlo. Y también el nivel que tienes: alto, medio, bajo. Oral y escrito.

○ Tomo nota.

✦ Y por último te falta un apartado con otras informaciones que quieras poner. Y con eso estaría listo.

○ Muchas gracias, va a quedar perfecto. ¡Y yo que pensaba que había redactado un currículum perfecto!

✦ Con este currículum seguro que te dan el trabajo. Jajajajaj.

○ Eso espero...

Pista 13

Los españoles vuelven a emigrar

Son bien conocidas en España las imágenes de emigrantes con maletas de cartón que en los años 60 partían a Europa y América en busca de trabajo y una vida mejor.

Este fenómeno, conocido como la 'emigración española', acabó en 1973 como consecuencia de la crisis del petróleo y, tras la entrada de España en la Unión Europea y la bonanza económica que la precedió, los emigrantes pasaron a ser cosa del pasado: España se convirtió en un país con un nivel de vida alto que ya no producía emigrantes, sino que los acogía.

Pero desde hace unos años, hay un nuevo fenómeno de emigración. Son jóvenes muy cualificados, que después de unos años de intensa formación en las universidades españolas, deciden aceptar ofertas de trabajo de acuerdo a sus perfiles profesionales, que en España no han encontrado.

Son médicos, enfermeras, ingenieros, profesores, investigadores, y un largo etc. de profesionales que son recibidos con los brazos abiertos en Alemania, Reino Unido, Noruega, Dinamarca, EEUU, Canadá o en América del Sur. Se valora su alto nivel de calificación, su profesionalidad, y sus ganas de desarrollar sus carreras.

Es una «nueva fuga de cerebros», que emigra en busca de oportunidades que no pueden satisfacer en su país.

Pista 14

La imagen corporativa

Uno de los temas más debatidos en el mundo de la empresa es el de proteger la imagen corporativa o la imagen institucional. Pero, ¿qué es realmente la imagen corporativa? ¿Por qué es importante? ¿Cómo se puede valorar? ¿Cómo se puede mejorar?

La imagen corporativa es el activo más valioso de una compañía. Podría definirse como el conjunto de significados que atribuimos a una compañía, esto es, es la imagen aceptada de lo que la compañía significa, la imagen mental que se crea en la cabeza del cliente. Por eso, en un mundo tan competitivo como el actual, es fundamental que las empresas se preocupen por la percepción que de ellas se tiene. En la creación de una imagen corporativa intervienen expertos que realizan estudios de carácter psicosocial y que, mediante diferentes formas, promocionan esa empresa y ayudan a que el público la entienda de esa manera, facilitando por ello las ventas del producto.

Una buena imagen corporativa es fundamental. Debe ser creíble y, sobre todo, coherente con el posicionamiento de la marca y sus productos pues de lo contrario se reducirá la rentabilidad. Así, una empresa con una imagen positiva captará la atención de consumidores pero también de profesionales o proveedores. Descuidar la imagen puede traer consecuencias muy negativas e incluso provocar el cierre del negocio, aunque sus productos y trabajadores sean buenos.

No se puede desligar la imagen corporativa de la responsabilidad social empresarial. Una empresa tiene una serie de responsabilidades con la sociedad más allá de la comercialización de productos y debe asumir unos compromisos y solucionar problemas reales.

La imagen corporativa está compuesta por múltiples elementos que se combinan y que cumplen la función de dar solidez a dicha imagen reconocida por los usuarios, sus características y sus valores. Por tanto, estos ayudan a posicionar la empresa en la mente del cliente. No es suficiente un bonito logotipo, colores electrizantes o un eslogan pegadizo, sino que la imagen debe reflejar unos valores, unas creencias y una filosofía.

Dentro de la imagen corporativa se incluyen elementos que van desde el nombre, logotipo, la difusión, etc., pero también su filosofía, visión, valores, servicio, integridad…

El nombre de una empresa es uno de los rasgos fundamentales de la imagen corporativa, así como la primera impresión que los clientes se llevan de una empresa. Tener un nombre significa identificar algo. Los procedimientos creativos a la hora de poner un nombre a una empresa son de lo más variado y atienden a razones como la analogía, la combinación de caracteres, la simbología, la descripción, etc. Es conveniente que el nombre sea breve, fácil de recordar y creativo para que pueda distinguirse de la competencia.

El logo puede estar compuesto por palabras, por imágenes o por ambos, pero debe ser comprensible y atractivo para el público.

El eslogan debe ser eficaz y contener cierta promesa sobre los beneficios del producto o servicio que se ofrece y que los diferencia de la competencia. Es también importante que dé credibilidad a la empresa y que sea original. Ligado a esto, cualquier melodía pegadiza puede ayudar a aumentar su difusión y a que el consumidor recuerde el producto.

Otro elemento importante para la empresa es tener un sitio web con un dominio propio. La página tiene que ser accesible y fácil de manejar, pues de lo contrario el cliente no podrá familiarizarse con la empresa y sus productos. Igualmente, las redes sociales colaboran en la difusión de los productos, promociones, características, etc.

No hay que descuidar la brochure, que no es solo los folletos del negocio sino sus tarjetas de presentación, sobres, etiquetas, carpetas, facturas, es decir, todo el material impreso y hasta la vestimenta de los empleados.

Pista 15

Llamada 1: buenos días llamo para decirle a Luis Gómez que no voy a poder recoger las pruebas de color que dejó en la imprenta el jueves.

Llamada 2: Hola, soy Juan López de administración, Luis tiene que pasar los recibos del viaje a Berlín antes del día 28.

Llamada 3: Soy Lourdes quería hablar con Luis para confirmar la visita a las nuevas instalaciones que haremos para el martes próximo.

Llamada 4: Buenos días, somos de la editorial y queremos advertir al Sr. Gómez que no venga a la presentación del catálogo de invierno porque se ha anulado.

Pista 16

¿Sabes que tienen en común los cocos, las semillas, la sal o las conchas? Allá por el 9000 antes de Cristo estos productos hacían el papel del dinero para intercambiar cosas.

Con el descubrimiento de la agricultura aparecen las primeras formas de comercio. En la prehistoria, el trueque permitía a las antiguas civilizaciones el intercambio de unas mercancías por otras de igual valor.

Sin embargo, en la Edad Antigua se dieron cuenta de que las mercancías como forma de pago resultaban poco prácticas, de ahí que se fueran sustituyendo paulatinamente por otros objetos y metales preciosos. Fue en Lidia, actual Turquía, donde se acuñaron las primeras monedas de una aleación natural de oro y plata, en torno al siglo VI a. C. Tres siglos después, los romanos inventaron el primer cheque.

Con la Edad Media llegaron las primeras rutas transcontinentales que reactivaron la economía de muchas de las regiones. Además, en torno al siglo XV surge la banca como establecimiento que presta una serie de beneficios y facilidades a los comerciantes. Del mismo modo, aparecen las grandes familias de banqueros europeos. De esta época datan los primeros billetes, utilizados en Mongolia

Con la Era de los descubrimientos, después del siglo XV, con la búsqueda de nuevas rutas comerciales hacia la India y el descubrimiento de América, las redes comerciales europeas se consolidaron con el nuevo flujo de oro proveniente de América, favoreciendo el crecimiento de la banca europea y el surgimiento de los grandes bancos.

En el siglo XVII las travesías trasatlánticas entre Europa y América no solo cobran importancia desde un punto de vista comercial sino también por el tráfico de pasajeros. Además, se abandonan las viejas embarcaciones de vela para dar paso a los barcos de vapor.

Con la Revolución industrial siguen las mejoras del transporte, que se traducen en una revitalización del comercio, que mejora el transporte de mercancías ya que podían ser manufacturadas en cualquier lugar y transportarse de una forma más barata. Igualmente se impulsa el transporte fluvial y el transporte por carretera gracias al automóvil y a la nueva red de comunicaciones terrestre que poco a poco se va construyendo.

Con el siglo XX llega la globalización como consecuencia de rebajar costos de producción para dar la posibilidad al productor de ser competitivo en un entorno global. Aparecen también unas primitivas tarjetas de plástico creadas por la Compañía General Petroleum que servían para dar crédito a sus trabajadores y clientes más importantes (1914). En 1950 Diners Club lanza la primera tarjeta moderna de crédito.

En la segunda mitad del siglo XX aparece ARPANET, un claro precedente de internet, una red que conectaba ordenadores entre tres universidades estadounidenses. No es hasta 1969 cuando aparece la World Wide Web, que ha acabado revolucionando el comercio tradicional.

La compra y venta de servicios tienden a realizarse a través de servicios electrónicos e informáticos, gracias a internet y a la transferencia de fondos electrónicamente.

Pista 17

Diálogo 1

○ Antoñito, ¿sabes que en la antigüedad no existían las monedas y los billetes?

+ No lo sabía, abuelo. ¿Y cómo pagaban entonces las compras?

○ Bueno, las compras entonces eran diferentes. Los hombres de la antigüedad intecambiaban unos productos por otros con el mismo valor, por ejemplo, un conejo por una gallina, o trigo por algún otro alimento.

+ ¡Qué interesante, abuelo!

Diálogo 2

○ Buenas tardes. ¿Sr. Antonio Romo?

+ Sí, soy yo.

○ Mire, le llamo de la empresa de mensajería MMJK. Queríamos entregarle un paquete. Creo que es un pedido que compró en una página de internet. ¿Podemos llevárselo ahora?

+ Sí, sí. Es el reloj que compré. Pueden venir ahora mismo, estoy en casa.

○ Perfecto. Le mandamos un mensajero ahora mismo. Simplemente recordarle que debe abonar el importe del pedido a nuestro mensajero, cuando reciba el producto.

+ Sí, muchas gracias por recordármelo.

Diálogo 3

+ Disculpe, ¿y entonces qué es lo que tengo que hacer para pagar el alquiler del coche a su empresa?

○ Pues muy fácil, usted tiene que darnos su número de cuenta y una vez que termine el servicio, si todo está en perfectas condiciones, le pasaremos el recibo y su banco lo abonará.

Diálogo 4

+ Tenga, mi tarjeta VISA.

○ No señor, no aceptamos tarjetas de crédito. Tiene que abonar el importe de la factura en metálico.

+ ¿Aceptan billetes de 200 euros?

○ Sí, señor, no hay problema

Pista 18

Diálogo A: **Dos amigas hablan por teléfono**

Amiga 1 (A1): Pues sí, Marta, al final me he quedado en la misma compañía de teléfono.

Amiga 2 (A2): Pero si estabas enfadadísima.

A1: Sí, pero puse una reclamación y al final todo se ha solucionado.

A2: ¿Qué pasó exactamente?

A1: La cuestión es que mi compañía de móvil, Telefonicmovil, me mandó la factura mensual, como de costumbre, y me cobraron unos servicios de los que yo no había hecho uso.

A2: ¿Y cómo lo solucionaste?

A1: Les escribí un *email* para presentar una queja. Les dije que era una vergüenza que no revisaran las facturas. Que era inadmisible. ¡Era una factura de 1 000 euros!

A2: ¿Y te contestaron?

A1: Sí, claro, a las dos horas me contestaron al *email* y me dijeron que me devolverían el dinero que me habían cobrado!

A2: Pues muy bien.

A1: Sí, y además me han regalado un móvil nuevo para compensar la mala gestión.

A2: ¡Qué suerte!

A1: Sí, la verdad es que cuidan mucho a los clientes, Así da gusto.

Diálogo B. **En una agencia de viajes**

Empleado (E): Buenos días. Agencia Sol y Mar ¿En qué puedo servirle?

Cliente (C): Buenos días. Hace semanas contraté con ustedes un viaje y no estoy satisfecho con el servicio. Quiero presentar una queja. ¿Quién es la persona responsable del Departamento de Quejas?

E: Puede hablar directamente conmigo ¿Podría explicarme qué le ha sucedido?

C: Bueno, pues en resumen no han cumplido su parte del contrato. En primer lugar, tenía que venir a recogernos un autobús al aeropuerto para llevarnos al hotel, pero no apareció. Así que tuvimos que coger un taxi que nos costó 50 euros.

E: Sí, estoy enterado. Disculpe las molestias. El conductor tuvo una emergencia y llego un poco tarde. Tenían que haber esperado un poco más quizás. Pero entiendo la molestia.

C: Mire usted, me indigna que me diga eso porque estuvimos esperando más de media hora. Espero que al menos nos devuelvan el dinero del taxi. Pero eso no es todo.

E: ¿Tuvieron ustedes más problemas?

C: Desde luego que sí. Yo contraté un hotel de cuatro estrellas y, la verdad, era bastante vulgar. Cuando vi el baño, no lo podía creer. Estaba sucio y viejo. ¡La ducha ni siquiera funcionaba bien! Y la habitación era oscura, con una ventana a un patio interior gris y feo. ¡Es una vergüenza! Yo esperaba una habitación con vistas al mar, que era lo que habíamos reservado. Además, la comida era malísima y muy escasa. En el desayuno solo había café y galletas. Horrible.

E: Bueno, señor, me temo que esa queja no nos corresponde a nosotros sino al hotel.

C: Sí, sí, también hemos hecho una reclamación al hotel. Pero también es cierto que si ustedes ofrecen un hotel de cuatro estrellas…

E: Sí, señor, voy a hablar con la supervisora del servicio de atención al cliente. Ya no podemos poner solución a sus problemas, pero sí podemos compensarle sin necesidad de recurrir al libro de reclamaciones.

C: Eso espero, porque estoy muy enfadado.

E: No se preocupe. En nuestra empresa queremos que el cliente esté contento. Desde luego el dinero del taxi le será reembolsado e intentaremos darle algún descuento para próximos viajes.

C: Le agradezco su interés y el reembolso del dinero, pero no voy a volver a viajar con ustedes, así que espero otra solución más apropiada. ¡Faltaría más!

Pista 19

El *marketing*, mercadeo o mercadotecnia es una disciplina dedicada al análisis del comportamiento de los mercados y de los consumidores. A través del estudio de la gestión comercial, se busca retener y fidelizar a los clientes mediante la satisfacción de sus necesidades.

El *marketing mix* o mezcla de mercadotecnia es un concepto que se utiliza para nombrar al conjunto de herramientas y variables que tiene el responsable de marketing de una organización para cumplir con los objetivos de la entidad.

Esto quiere decir que el *marketing mix* está compuesto por la totalidad de las estrategias de *marketing* que

apuntan a trabajar con los cuatro elementos conocidos como las Cuatro P: Producto, Precio, Plaza y Promoción (Publicidad). En español, el concepto plaza se conoce también como distribución.

En concreto, a la hora de centrarse en ese mencionado conjunto de 4Ps, el responsable correspondiente tendrá en cuenta los siguientes factores para poder lograr los resultados esperados:

- En lo que respecta al precio del artículo en cuestión, se deberán tener en cuenta los que presenta los de empresas similares que están en el mercado. De esta manera, se podrá dar con aquel que sea competitivo y que se convierta en un importante atractivo para "atrapar" al consumidor.

- La distribución del producto también es fundamental dentro de la cadena de acciones para lograr los resultados esperados. En este sentido, hay que resaltar que se tendrán en consideración aspectos tales como el almacenaje de aquel, los lugares de punto de venta o la relación existente con los intermediarios.

- De la misma manera, dentro de esta acción de *marketing mix*, también se prestará atención muy cuidadosa a una serie de aspectos que están relacionados directamente con el producto en cuestión como sería el caso de la garantía que tiene o el servicio de atención al cliente.

- El cuarto pilar de cualquier campaña de *marketing* mix es el que gira en torno a la promoción. Esta fase es fundamental en cuanto a que el producto se dé a conocer, sea identificable en el mercado y sea capaz de generar una gran demanda en el consumidor final. Para lograr todo ello, dentro de esta área está claro que se deberán llevar a cabo acciones en materia de publicidad, relaciones públicas e incluso merchandising.

El *marketing mix* apela a diversos principios, técnicas y metodologías para incrementar la satisfacción del cliente a partir de la gestión de los elementos citados, producto, precio, promoción y distribución. Para que tenga éxito, el *marketing mix* debe mantener la coherencia entre sus elementos (no tiene sentido posicionar un producto en el sector de lujo y luego tratar de competir con un precio bajo).

A la hora de trabajar con el *marketing mix*, el experto debe tener en cuenta si los objetivos que se plantea son a corto o largo plazo, ya que ciertas variables son difíciles de modificar en el tiempo cerca.

Texto adaptado de Lee todo en: Definición de marketing mix - Qué es, Significado y Concepto http:// definicion.de/marketing-mix/#ixzz4McGZT6Ha

Pista 20

¿Alguna vez te has preguntado por qué mientras navegas por internet te aparecen anuncios de productos en los que verdaderamente podrías estar interesado?

Ofertas de viaje a París, ciudad en la que últimamente has estado buscando hotel, anuncios del perfume de tu marca de ropa preferida, o el último disco de tu grupo de música favorito. ¿Cómo aciertan en mostrarte solo aquello que realmente te importa? No se trata de ciencia ficción ni una trama de espionaje, hablamos de publicidad programática.

La publicidad programática es un tipo de publicidad online –surgida tras las nuevas tecnologías, medios y plataformas digitales– en la que el anunciante compra audiencias y no espacios como en la publicidad tradicional; un tipo de publicidad que se basa en el Big Data, es decir, en el almacenamiento de grandes cantidades de datos, para segmentar la audiencia y ofrecer la publicidad a las personas indicadas.

La publicidad programática es un proceso semi-automático que permite conectar a una marca con el consumidor adecuado, en el momento y el lugar correctos para mostrarle anuncios de productos afines a él.

Una marca de zapatillas de deporte podrá estar buscando un perfil de 'hombre de 30 años, que vive en Madrid, interesado en tendencias y que sea aficionado al running' para anunciarle su nuevo producto de calzado de ciudad.

El sistema que emplea la publicidad programática está basado en algoritmos que establecen coincidencias entre los espacios disponibles en diversos medios online, con los datos que tienen los anunciantes respecto al perfil de la audiencia que buscan.

Para que un anunciante pueda mostrar su anuncio a personas con un perfil muy determinado, éste compra publicidad en tiempo real a través de pujas digitales (RTB o Real Time Bidding) en plataformas especializadas para ofrecer impresiones al mejor postor. Con la publicidad programática lo que el anunciante está pagando es el número de personas, con un perfil concreto, que ha visto su anuncio en el momento que genera más impacto. De este modo el anuncio es más efectivo.

En el proceso de compraventa de publicidad programática intervienen diferentes actores: los Ad Exchanges o Marketplaces son las plataformas que hacen de intermediarias entre los compradores de medios (agregadores de demanda) con los vendedores de espacios (agregadores de oferta) y donde se llevan a cabo las subastas digitales; los Demand Side Platforms son los proveedores de la tecnología con la que se puede optimizar el precio mediante grandes cantidades de datos de los usuarios (Big Data); los Data Partners son los que proporcionan éstos datos; los Trading Desk son aquellos que trabajan para el anunciante en las subastas; y los Sell Side Platforms maximizan, para los medios, sus espacios publicitarios.

Una de las ventajas más interesantes de la publicidad programática es la posibilidad de personalizar los anuncios. Para un mismo producto pueden diseñarse

diferentes versiones dependiendo del perfil de la audiencia y del contexto en el que se encuentre. Todo un mundo de posibilidades creativas que todavía está por explorar con profundidad. Aun así, la publicidad programática está extendiéndose con rapidez por los medios de comunicación y todo apunta a que esta tendencia no cesará de crecer.

Pista 21

¿Sabías que los anuncios en color se leen un 50 % más que los anuncios en blanco y negro? La psicología del color es una ciencia muy estudiada perfectamente aplicable al *marketing*. Los colores poseen la capacidad de generar determinadas sensaciones y estados de ánimo que provocan reacciones en los consumidores y transmiten ciertos valores.

Así por ejemplo el amarillo se asocia con el optimismo, la claridad o la calidez. Es un color fuerte, arriesgado, complicado de utilizar porque causa fatiga ocular, pero con una gran capacidad para llamar la atención y por tanto captar rápidamente la atención del consumidor. Es muy utilizado en los productos para jóvenes y llega incluso a generar felicidad.

Caso contrario es el del azul, nada agresivo, que inspira confianza y seguridad, calma y tranquilidad de ahí que sea el preferido de los bancos y entidades financieras, así como de los productos médicos.

En la misma línea podemos situar el verde, que evoca también relajación y tranquilidad al asociarlo con la naturaleza. Tradicionalmente es símbolo de abundancia y riqueza. Lo encontramos sobre todo en productos naturales y de relajación.

Algo más festivo es el naranja. No obstante, es un color agresivo, utilizado por ejemplo en los periodos de rebajas.

Más pasional es el rojo, asociado al amor y con capacidad de despertar emociones fuertes. No es extraño que se utilice en los últimos periodos de rebajas porque invita a hacer compras compulsivas. Además, es frecuente encontrarlo en marcas de alimentación o restaurantes porque según los estudios es un color que abre el apetito. También empresas relacionadas con automoción o actividades de riesgo lo emplean.

El morado, utilizado tradicionalmente por las familias reales, lleva consigo la etiqueta de riqueza y éxito. Su uso es frecuente en productos destinados a las mujeres, principalmente aquellos que prometen belleza y tratamientos anti-edad.

El negro, por su parte, denota lujo y sofisticación. Su elegancia se deja ver sobre todo en productos de lujo y de ropa.

En definitiva, que en publicidad nada es casualidad y la elección de un color u otro conlleva directamente una serie de sensaciones que pretenden reforzar lo que el producto quiere transmitir.

Pista 22

Diálogo 1

A: Hola, quiero comprar un coche pero no tengo suficiente dinero. ¿Cuáles son los requisitos para que me concedan un préstamo?

B: Sí, señora. Nosotros ofrecemos préstamos para la compra de un coche. Tiene que tener una cuenta abierta en este banco.

Diálogo 2

A: Perdone, el cajero no funciona. ¿Puedo operar aquí en ventanilla?

B: Claro. ¿Cuánto dinero quiere?

A: 50 euros.

B: Por favor, déjeme un documento identificativo.

Diálogo 3

A: Buenas tardes. ¿Le puedo ayudar?

B: Quería hacer un pago desde mi cuenta.

A: Por favor, complete este formulario.

B: ¿Puede ayudarme, por favor? ¿Qué debo escribir aquí?

A: Su número de cuenta.

B: ¿Y aquí?

A: El nombre del beneficiario, de quien recibirá el dinero.

Diálogo 4

A: Buenos días, ¿Puedo ayudarle en algo?

B: Sí, mire, ayer me robaron la cartera con toda la documentación y las tarjetas.

A: ¿Anuló su tarjeta?

B: Sí, sí. Pero necesito que me manden otra lo antes posible.

A: Por supuesto, en unos días recibirá una nueva.

Diálogo 5

A: Buenos días, me llamo Antonio Ruipérez y tengo una cuenta en su banco. Me gustaría retirar todo el dinero y cerrarla.

B: ¿Tiene algún problema con el banco, señor?

A: No, no, pero me voy a vivir al extranjero y no quiero tener cuentas bancarias ya en España.

Diálogo 6

A: Tengo una pregunta, ¿puedo utilizar el cajero para poner al día mi libreta?

B: Normalmente sí, señor, pero hoy tenemos el cajero estropeado.

A: ¿Y qué puedo hacer?

B: Déjemela, por favor, y se la actualizaré yo manualmente.

Diálogo 7

A: Buenos días. Necesito una información. ¿Cuál es el último día para pagar la factura del agua?

B: El último día laborable de cada mes.

A: Gracias, es que siempre olvido pagarlo.

B: Lo mejor en estos casos es domiciliarla. Así se lo cobramos directamente y no tiene que preocuparse por la fecha.

Pista 23

No tiene sentido guardar mucho dinero en una cuenta que no produzca rentabilidad. Por eso los bancos ofrecen distintos productos, unos para gestionar el ahorro, otros para financiar proyectos y en otros casos, para invertir.

En el primer caso, entre los productos de ahorro más frecuentes podemos mencionar los depósitos a plazo, o imposiciones a plazo fijo, donde el cliente obtiene una rentabilidad a cambio de mantener sus clientes durante un tiempo determinado.

Otro producto de ahorro, son las cuentas ahorro, por ejemplo, la cuenta ahorro vivienda, que permite ahorrar para comprar la vivienda habitual.

Los bancos también permiten financiar, desde pequeños gastos, con de las tarjetas de crédito, proyectos o compras de mayor importe, gracias a los créditos, y por supuesto, financian las compras de casas con las hipotecas.

Y por último, tenemos los productos de inversión, entre los que podemos destacar los planes de pensiones, que permiten disfrutar de un dinero en la jubilación, o los fondos de inversión, que los bancos ofrecen a aquellos clientes que quieren hacer aumentar su dinero en productos financieros.